EDUARDO MALLEA

LA REPRESENTACIÓN
DE LOS AFICIONADOS

EDITORIAL SUDAMERICANA

LA REPRESENTACIÓN
DE LOS AFICIONADOS

EDUARDO MALLEA

LA REPRESENTACIÓN
DE LOS AFICIONADOS

Un juego

EDITORIAL SUDAMERICANA
BUENOS AIRES

IMPRESO EN LA ARGENTINA

Queda hecho el depósito que previe-
ne la ley 11.723. © *1962, Edito-*
rial Sudamericana Sociedad Anóni-
ma, calle Alsina 500, Buenos Aires.

"Sin inmortalidad del alma no hay virtud, lo cual quiere decir que todo está permitido."

Los Karamazov

Nota Importante: Las frases que a lo largo de la obra aparecen entre corchetes son expresión de aquello que los actores dicen para su coleto. Los actores deberán, pues, señalar, mediante una matización adecuada de la voz, el carácter distinto, íntimo y secreto de esas frases, que en modo alguno han de interrumpir la unidad y secuencia del diálogo principal interpretado.

PRIMERA PARTE

La escena está casi a obscuras en el teatro de aficiona-
dos. No se ve mueble alguno, salvo una pequeña mesa
ordinaria, que ha servido para poner el libreto durante
los ensayos, y sobre la que se distinguen ahora dos o tres
hojas de papel. Entra por el fondo derecha viniendo has-
ta casi la boca de la escena el PRIMER ACTOR, *en traje*
de calle, un tweed *claro, y como buscando a alguien.*

ESCENA I

PRIMER ACTOR

¡Blasco...! ¡Blasco...! ¿Qué pasa aquí?

(Silencio.)

EL MISMO, *a gritos.*

¡Blasco...! ¡Blasco...!

(Silencio.)

EL MISMO, *en el colmo de la impaciencia.*

¡Al infierno con los informales!

(Se acerca con paso rápido y nervioso a la mesa que está al frente, sola. Revisa los papeles sobre la superficie.)

EL MISMO

Falta todo. El elenco. El horario. Los turnos. Informalidad y más informalidad. Improvisaremos otra vez... *(mirando el reloj pulsera)*... y son las ocho. Faltan menos de dos horas. *(Volviendo la espalda al público y caminando hacia el foro.)* ¡Blasco...! ¡Blasco...! Nada.

(Llega el ACTOR SEGUNDO por la parte posterior del escenario, también derecha, con el sombrero puesto y un abrigo en el brazo.)

ESCENA II

PRIMER ACTOR

¿Dónde está Blasco?

ACTOR II

Qué sé yo. Recién llego. ¿Cómo se presenta todo?

PRIMER ACTOR

Imposible peor. Esto es el mayor desorden. ¿Quién va a poner una pieza, así? He dicho a Blasco que me esperara con el agua y con la aspirina. Naturalmente, habrá ido a comprar el diario. Todo el mundo se informa por los diarios de lo que pasa acá; nadie trabaja. ¿Y Elisa?

ACTOR II

No he dormido en toda la noche. No sé nada. No me pregunte nada. Tengo un miedo brutal. Temo a no acordarme esta noche ni una sola palabra, al trac, al desastre. Creo que se me ha quebrado la memoria. Enteramente.

PRIMER ACTOR

Sólo faltaba eso.

> (Entra ELISA, *toda de negro, lentamente, por el mismo sitio por donde entraron los otros actores.*)

ESCENA III

ELISA, *lánguidamente, bostezante.*

Buenas tardes.

PRIMER ACTOR

Le pedí que viniera a las tres y no vino. Viene sólo ahora.

ELISA, *irónica.*

¿Dirige todavía?

PRIMER ACTOR

Todos los días pregunta lo mismo. Reemplazo a Herrera desde enero y lo supliré hasta octubre o hasta diciembre.

ELISA, *sacándose los guantes de gamuza negra ante la
mesa con la misma lentitud y dejándolos caer luego sobre
los papeles. Irónica siempre.*

Todos suplimos a Herrera.

PRIMER ACTOR

Está enfermo. Está muy enfermo.

ELISA

¿Quién puede estar sano aquí? ¿Hay sanos en los ma-
nicomios? Dicen que los mismos médicos...

PRIMER ACTOR

La verdad. (*Mirando de nuevo el reloj pulsera.*) Dónde se habrá metido Blasco. Siempre igual: circula como

un espectro sin fijarse en nada, sin atender a nada, siempre cansado, siempre distraído, como si fuera la conciencia del mundo que se paseara sin dirección y sin objeto, mirándolo todo lejana y extrañamente. Para eso le pagamos un sueldo y puede dormir gratis en los camarines. En el que elige, además. Elige siempre el que puede desordenar mejor. Cuando hicimos *Electra* vivió siempre en los fondos. No me contestaba. Lo mismo que la conciencia... del mundo... del hombre... Eternamente enigmático... enteramente remoto... Y triste, nostálgico.

ELISA

Herrera dice que es una acémila. ¿Qué será una acémila? Seguramente lo peor de lo peor.

PRIMER ACTOR

¿Una acémila? Lejos de eso. ¡Qué va a ser! Es humilde y es noble. Tiene ojos debajo de los ojos. No hace más que mirar, pero ¡cómo mira! Desde una distancia que hace imposible que uno se le acerque, que uno sepa algo de él, que uno pueda encargarle algo sabiendo que lo va a cumplir, que va a escuchar... No he visto ser más solo ni más engañable. (*Volviendo a mirar el reloj.*) Van a ser las ocho y cuarto.

ACTOR II

¿Cómo va a estar la sala esta noche?

PRIMER ACTOR

Llena hasta el tope.

ELISA, *con sorna.*

¡Después de la última vez...!

PRIMER ACTOR

El administrador no ha descansado y yo también me he movido. Nadie ignora el significado de la pieza. ¿No se la ha explicado en todas partes?

ELISA

¿Pero quién conoce al autor? ¿Quién sabe si es buena o mala?

PRIMER ACTOR

¿Buena o mala? ¿No la he elegido yo? ¿Por qué se me ocurrió preferirla y comprarla? Tenía un buen título: *Todo está permitido*... ¿Íbamos a seguir con los viejos? ¿O con los nuevos ya marchitos, como esas flores baratas que no sirven más que para el día en que se compran? Brecht... Betti... Ionesco. Y al revés: Ionesco... Betti... Brecht. Ya son más viejos que Shakespeare, más viejos que Ibsen. En cambio inventar algo...

a alguno... tiene su mérito. Me arriesgo. La responsabilidad es enteramente mía... *(Gritando para adentro:)* ¡Blasco...! ¡Blasco...! ¡Nada! La responsabilidad es enteramente mía. ¿Y acaso tienen ustedes todavía dudas? Les he mostrado paso a paso la intención, los supuestos, el revés reflexivo de la obra... Por así decirlo: su filosofía.

ELISA

¿Filosofía? Es movida, me gusta por eso.

PRIMER ACTOR

Las mujeres son ilógicas siempre. No es el movimiento lo que importa en la obra, por lo menos en ésta. Si no lo tuviera de nada valdría. Es posible. Pero la elegí, cómo decir, por su sonoridad de fondo... el acento último... *(Piensa como buscando aún la definición.)*

ACTOR II, *atónito.*

¿Cuál es el acento último? A ver si se me ha escapado algo... No me parece una pieza tan importante. Yo hubiera preferido aquella del holandés, la que pasaba en La Haya. O algo nacional.

PRIMER ACTOR

¿Algo nacional? *(Se le acerca.)* ¿Es que hay ahora en alguna parte algo que estrictamente pueda llamarse "algo nacional"? ¿Qué quiere decir? ¿Es algo nacional la viveza maliciosa con que el hombre —criatura que lleva la muerte incubada— juega con el hombre —criatura que lleva la muerte incubada? ¿Es algo nacional el precio que paga por su inocencia el inocente o el perdón que obtiene el culpable por el precio de su culpabilidad? ¿Son algo nacional mis alergias, mi reumatismo, el miedo que me da de quedar encerrado entre las paredes de un ascensor, mi odio por los que hacen lo que yo no puedo hacer o el temblor que ciertas noches siento de ignorar lo que hay en la noche misma, lo que me llevará, lo que quedará después de mí? ¿Es algo nacional ese extraño libertinaje desvariado que la falta de sentido de un alma inmortal desata en los espíritus lanzándolos como vientos locos al sarcasmo, abuso y delirio infatuado de sí mismos?

ACTOR II

No es a eso a lo que me refería. Yo siempre encontré la pieza algo ficticia. Me siento algo incómodo en ella, como si me disfrazara.

PRIMER ACTOR

Ahora estás disfrazado, no cuando te invistes de un sentido. Ayer te vi ensayar, eras distinto de la persona habitual, muy distinto...

ACTOR II

Eso me da ánimos.

PRIMER ACTOR

Podría decir que estabas inteligente.

ELISA, *siempre sarcástica.*

¿Será posible?

PRIMER ACTOR

Entra seguro a matar, como el que no lleva más que esa misión, y esta noche te harás aplaudir como nunca.

ACTOR II

Mi papel no es simpático.

PRIMER ACTOR

¿Qué papel lo es? El mismo santo es un diablo para el diablo. Depende de cómo se miren los caracteres. A mí, en mi niñez, el viejo Karamazov me daba lástima y odiaba a esos hijos desnaturalizados.

ACTOR II

¿Pero se trata verdaderamente de una pieza histórica?

PRIMER ACTOR

¡Qué esperanza! *(Vacila.)* O quizás sí: histórica por

partes. La historia es una fantasía vagabunda que pasa un momento por la realidad. ¿Quién sabrá lo que dijeron los muertos? Queda de sus voces un sentido pero no su vocabulario.

ACTOR II

Y el autor, ¿ha contestado el telegrama?

PRIMER ACTOR

Sí. Ha contestado.

ACTOR II

¿Qué dice?

PRIMER ACTOR, *repitiendo.*

"Hasta lo que parece sin sentido tiene sentido. En el juego del niño está el secreto de lo inexplicable. Lo inexplicable no tiene la culpa de no ser alcanzado."

ELISA, *frotándose las uñas de una mano en la palma de la otra.*

¿Por qué dirá eso?

PRIMER ACTOR

No sé. No sé por qué. Es un telegrama extraño. Parece que ocultara cierto despecho.

Actor II

¿Arreglaron la rampa?

Primer actor

Sí. Y la fuente del patio, el corredor del segundo acto.
Las luces funcionarán perfectamente.

Elisa, *caminando*.

¿Funcionarán?

Primer actor

Sí. Ya son las ocho y media. Voy a echar una mirada
a mi traje. A las nueve iré a comer un poco de fruta, una
copa de vino blanco. Me hubiera hecho falta la aspirina.
Tengo dolor de cabeza. Las últimas noches no he dormido de sólo pensar en la obra. ¿Qué va a pasar?

Elisa

¿No es que es tan buena?

Primer actor

¿Buena? Qué sé yo. La elegí porque la pieza buscaba
al hombre en su escondite. Lo llamaba. Lo acusaba de

no estar, sin señalar que lo acusaba o que lo llamaba. Había que entenderlo, qué sé yo, por omisión... Y eso me sugestionó, me llevó a elegirla. Me parecía que señalaba una desesperación implícita, pese a sus caracteres, la desesperación de que el hombre sea tan poco el hombre, de que aun la grandeza y el poder estén señalados por una especie de desdén... por un odio borrascoso hacia el género humano disfrazado de sentimental amor... Algo en la pieza me pareció significar —no sé— que nada importa el imponente aparato de las arbitrariedades más tremendas, que lo que importa, por contraste, es algo sin poder visible, sin fasto exterior, sin énfasis de actitud, sin cetro ni mando ni ejército, prudente y a la vez inmenso: la calidad del hombre.

ACTOR II, *entusiasta*.

¿La calidad de César?

PRIMER ACTOR

No. No hablo del hombre con mayúscula. De César. Ni del hombre con minúscula. La plebe. Sino de la calidad del hombre que está en silencio, que ha pasado inadvertido, sigiloso casi, casi inexistente, en medio de esos dos creadores de estrépitos... Hablo de la figura que se mueve en secreto, hacia la libertad y hacia la verdad, como el que avanza a buscar la luz sin ser notado por los disputantes, siempre briosos y siempre confundidos.

ACTOR II

¿Ese es el sentido?

PRIMER ACTOR, *preocupado.*

No sé. Quizás no lo vea más que yo. Esta noche no estoy tan seguro. ¿Por qué será que nuestra mayor seguridad desfallece ante el llamado a desafiar el silencio? Sólo la réplica aviva nuestra insolencia. Solos, temblamos de no saber nada. La ilusión del saber es el comunicarse; un saber que no se comunica empieza pronto a transformarse en duda. Y en un mundo enteramente silencioso moriríamos de no saber, de no poder creer que sabemos, de no poder hacer creer que sabemos para creerlo nosotros. No sé qué va a pasar esta noche. ¿Qué se entenderá? El público es el silencio. Y a mí también, como al otro, el abismo me aterra. A lo mejor me he equivocado y lo que interpreto es puramente mío. Empiezo a no estar convencido porque dentro de una hora vamos a intentar convencer al silencio y si el silencio sigue siendo silencioso estaré listo a pensar que me he equivocado, que mis hipótesis eran vanas y que la pieza es un lote de palabras que no quieren decir nada.

ELISA

¿Otro fracaso?

PRIMER ACTOR

Intentaremos, en ese caso, otra vez. Esta temporada admitirá dos pruebas más. Pienso en otra que ya he comenzado a leer... O quizás la holandesa...

ACTOR II

Bueno, basta. Basta. ¿Qué horas creen que son? Yo no vuelvo sin un par de sándwiches y un doble café.

ELISA

¿Para qué hemos venido ahora, entonces? ¿Para qué nos ha llamado?

PRIMER ACTOR

Por temor. No sé por qué temor. Para saber que están, que viven, que van a estar vivos luego, que tienen cuerpo y voz... Que son algo, aparte de mí. ¡Después de todo, hay tanto azar y tanto sacrificio en esto de ser meros aficionados!

ELISA

¿Qué más aficionados que los profesionales?

PRIMER ACTOR, *yéndose hacia adentro por el lugar desde donde vino.*

¿Quién lo duda...? Si vienen los otros, recomiéndenles puntualidad. Y que no olviden que una guerra se gana por insistir en el ímpetu. Puede que lo crean. Tenía que decirles algo sobre los turnos... ¿Qué era? *(Hacia dentro:)* ¡Blasco...! ¡Blasco...! ¿Dónde se habrá metido? Si le hubiera tocado hacer mi papel estaría aquí, pero siendo mudo por convicción tendría menos miedo que yo mismo de no poder abrir la boca... Hasta luego. *(Exit.)*

(Bajará el telón para luego de unos momentos levantarse de nuevo a fin de iniciar la representación de la obra.)

SEGUNDA PARTE

TODO ESTÁ PERMITIDO

TODO ESTÁ PERMITIDO
INTROITO

*Al levantarse el telón reinará en la escena una atmós-
fera nocturna. Se notará que algo como una inmensa sala
indiscernible se oculta en la noche. El bulto —pero sólo
el bulto— de una figura de hombre, se verá de pie en el
centro de esa zona de tinieblas. EL ANUNCIADOR, cuyos
vestidos y rostro no han de distinguirse, esperará un instante, para hablar con voz rítmica y neutra y monotonía
de responso sólo cuando la expectativa y el silencio de la
sala hayan alcanzado su punto necesario de sazón.*

EL ANUNCIADOR

A ustedes, que en este momento sólo pueden percibir
de mí lo menos corpóreo y a la vez lo más central e íntimo que un hombre puede tener, esto es, la voz, yo les
pregunto, espectadores pacientes a quienes dentro de unos
instantes, por sólo querer encontrar un conato de diver-
sión sobre las tablas, la impaciencia va a erigir en pru-
dentes o en exasperados: ¿de qué tiempo soy, moderno o
primitivo, hombre actual o personaje de otra edad? ¿Hi-
tita, fenicio, romano, sujeto de qué imperio, espectro de

qué tiempo, anuncio de qué leyes? Pensando en lo efíme-
ra que se prueba la perspicacia humana si sólo por lo
más exterior, o sea por mi vestido, pueden diferenciarme
como perteneciente a uno u otro momento en los centenares de los años, ¿a quién, entre ustedes, debo dar cuenta
por la edad del tema hoy elegido? Y como lo propio
del momento histórico en que me oyen es el pasar tan
rápido que ya el hoy es ayer casi antes de ser vivido —y
lo será quizá sin casi cuando descubramos que el tiempo
fue un prejuicio de primitivos iletrados—, yo no me reba-
jaré a explicar por qué, en las peripecias que ahora van
a presenciar, poco importan los trajes, puesto que los ros-
tros, las voces y las causas aspiran a ser permanentes y
universales, como contemporánea de nuestra alma es el
alma del ávido focense, del persa indeciso entre dos nor-
mas, o del romano aplicado al ejercicio drástico y sis-
temático de la civilidad. Si no me reconocen ustedes, dis-
tinguiendo mi pertenencia a una era dada, ¿reconocerían
a esos personajes que van a ver, si sus nombres fueran
otros, otros los sitios de sus hechos, o sus cuerpos no se
revelaran en la obscuridad como distintos por un plie-
gue de más o una costura de menos? Toga más o toga menos, siglos más o siglos menos, continentes más o continentes menos, una voz viva es una voz que habla.
Milenios y milenios han ocurrido, las más sorprendentes
cosas, invenciones y descubrimientos han pasado, pero nunca se conoció de la naturaleza humana otros productos que
los contados temas de nuestra condición. Lo más misterioso de ésta es que habiéndose probado el hombre tan
desigual y tan aventurada y diversamente multiplicado en

los métodos y proezas del conocimiento aplicado al universo, se haya probado tan limitadamente igual en el conocimiento aplicado a sí mismo y en el repertorio y manejo de sus propias ideas y pasiones. El pensamiento filosófico-científico ha avanzado leguas y leguas sobre sus primitivas medidas, pero el antiguo pensamiento poético-filosófico inventado por nuestros llamados primitivos, resplandece a los ojos actuales más poderoso en su triunfante magnitud que las módicas líneas de su imitativa y pedante posteridad.

Para nuestra pobre alma rampante carecemos de otras fórmulas que sus ecuaciones iniciales y a lo más parecemos disminuidores tentantes de las grandes teorías fundadoras.

En este escenario va a verse la asunción de poderes indirectos de un joven lector de Aristóteles llamado César —no investido todavía de facultades absolutas—, que despellejaba a sus conciudadanos guardando la piel sin arrojarla a la escoria a fin de poder devolvérsela si el desollado cambiaba su carne viva en viva importunidad. En el momento que lo encontramos, el mundo empezaba a ser dócil a su placer como la tigresa que se deja acariciar para después despedazarnos. Pero no en el corazón de la fiera, sino en la mano que llevaba la caricia, se ocultaba ya el fluido exasperante de que la tigresa iba a salir erizada y excitada.

Se habla de la magnitud de ciertos caracteres humanos. Ninguno puede ser tan grande como para escapar de ser humano, y aun la estatura del gigante es todavía estatura de hombre. Hay actos sublimes que surgen de la sombra de una malicia. Y hay malicias que surgen de las intenciones más aparentemente sublimes. La idea del poder absoluto y de los absolutismos dogmáticos a sangre y fuego son ideas tan perversas por lo naturalmente impío de su origen, que ninguna cabeza crítica debería aceptar la certidumbre de que Roma no lo mira amenazante desde la cabecera de su cama, por más nueva que sea la cabecera sobre el más americano colchón pullman... Y este César que aparecerá aquí esta noche no es todavía el vencedor de Pompeyo, ni el dictador, ni el conquistador, sino el cínico que a la cabecera de la cama de cualquier hombre de cualquier tiempo afila su astucia en la escuela donde aquí se le verá.

No juzguen ustedes, pues, de tiempos, ¡oh superiores!, porque ya se dice en algún tratado reciente que al volar el hombre en su viaje de un planeta a otro planeta podrá demorarse en el proceso de su edad y regresar más joven que sus anteriores contemporáneos... La importancia de las edades parece hoy —como tantas viejas importancias— un prejuicio de niños; y yo les pido, oh coetáneos, que atiendan a esta historia así: como a un cuento de niños o a una jugarreta de algunos grandes fraguada para nuestro uso con quién sabe qué deliberación o qué propósito, inocentes e ignorantes como somos de los designios de una Tierra grave o la voluntad de un Cielo reservado.

(Bajará una tela para ocultar al ANUNCIADOR *mientras desaparece. Luego la tela se alzará para mostrar el aparato escénico del primer acto.)*

ACTO PRIMERO

El escenario del teatro de aficionados representa la sala de recibo en la casa romana de César. En la parte anterior izquierda, una puerta a la calle, que da sobre un trozo de calzada y que estará en la escena representada sólo por un marco unido a la pared lateral del recinto, pues no se verá pared a lo largo de la boca del proscenio, a fin de que pueda apreciarse en su totalidad la sala de César. Es un recinto cuadrangular, de proporciones amplísimas, bordeado de estatuas, con pinturas en los paneles superiores y pisos de mosaico; en el centro hay un hueco no muy hondo que guarda en escorzo las proporciones cuadrangulares del recinto, especie de pilón destinado a recibir el chorro de la fuente, cuyo surtidor situado en el preciso punto medio, aparece ahora sin efecto; el vasto recinto tiene una gran puerta o abertura en su parte posterior, por donde se ven algunas de las columnas del resto de la casa. Hay mucho mármol; el artesonado también es marmóreo. Habrá en la sala, fuera del mobiliario común en una casa representativa de la época de la República, en que transcurre la acción, toda suerte de sillas romanas, e incluso, presidiéndola al fondo, la silla curul que corresponde a la dignidad actual del dueño de casa.

Imitaciones greco-asiáticas, pinturas murales, vitrinas, bustos y bronces, vasos de Corinto y mesas de Delfos aportan sus detalles lujosos según ocurría en todas las casas nobles en ese momento especialísimo del Estado, cuando cada cual tiraba lo que tenía por la ventana con tal de aparecer poderoso a los ojos del pasante, aunque pareciera inverosímil a tan corta distancia de las recientes revolución y reacción, cuyos efectos en otro orden fueron terribles y sus rasgos calamitosos. La guerra civil y la guerra de Oriente habían despertado pocos años antes ese apetito de felicidad, que luego se exacerbó, y todo pareció poco para satisfacer a una comunidad deseosa de saltar las etapas y de hacer producir al mundo sus consecuencias más opíparas en términos de posibilidades de lujo y frenesí vital.

Al fondo de la sala de César se verá en su augusta amplitud la puerta ancha y baja que une ese recinto a las habitaciones interiores: otras salas, la biblioteca, la palestra y los cuartos de baño. Pero todo lo importante de la vida de esa casa, en el sentido público, sucede en esta sala de proporciones extraordinarias, tranquila y clara. La luminosidad del día parece llegar por la invisible claraboya a ese cuarto puesto con un gusto inteligente, aunque ligeramente subrayado en sus aspectos rumbosos.

Corren los años 62 a. J. César es ahora pretor. Este aristotélico educado en Grecia, preparado para la elocuencia civil, despierto y débil, ingenioso, afecto a las bellas letras, propenso a la autoridad y a las armas, atildado y tristemente sensible a una calvicie de cuyo poder deprimente sólo había de salvarlo el permiso precoz de usar a toda hora la corona de laurel, calculaba ya con perspicacia su parte en un mundo de patricios que despreciaba y de plebeyos que medía. Le habían ocurrido las famosas pintorescas peripecias de Bitinia, que culminaron en las de la isla de Farmacusa, y ya engañaba a tirios y troyanos con su trato afable y dulce, disfrutando de la extraña benevolencia popular en medio de la que se desenvolvería toda su vida. En el momento de la acción que nos importa, había sido cuestor en España, Pontífice Máximo y al fin pretor; y, ya demagogo, acababa de amenazar al Senado con las iras de la jauría popular a raíz de la conspiración de Catilina, lo cual no le impedía creer —pues era singular su especie de inocencia autoabsolvente y su cierto irrealismo suspirante cuando se trataba de sí— en la simbiosis ideal de aristocracia y pueblo que había aprendido en Aristóteles. Pero estaba en un momento de transición, de espaldas al zócalo de su personalidad y de frente al aire abierto de un futuro enigmático.

En el instante de abrirse el telón dos legionarios de guardia velan entre la puerta de calle y la sala de la casa de César. Uno de ellos se ha sentado en un banquito de madera, junto a la puerta, pero en el interior de la sala, a fin de dejarse aliviar y vendar por su compañero el pie lastimado. Echado hacia atrás le ha extendido la pierna, en cuyo extremo el otro da fin a la cura.

ESCENA I

PRIMER LEGIONARIO, *con expresión quejumbrosa.*

¡Más cuidado! ¿Crees que soy el forzudo Vitelio Lépido Metura?

SEGUNDO LEGIONARIO

No son mis manos lo que te duele, sino la carne. Está en llaga viva.

PRIMER LEGIONARIO

¡Ay! ¡Cuidado, cuidado!

SEGUNDO LEGIONARIO

Bueno, te dejo la herida así. Hasta la noche esa venda puede durar. Que te cure tu mujer. Eres demasiado bellaco para ser atendido por un militar.

PRIMER LEGIONARIO, *sarcástico*.

¡Militar! ¿En qué batalla empeñaste el pellejo?

SEGUNDO LEGIONARIO

Lo sabes demasiado bien.

PRIMER LEGIONARIO

¿En Asia? ¡Te lo pasabas acurrucado a la sombra de una pila de troncos!

EL SEGUNDO LEGIONARIO, *levanta el brazo en señal de amenaza y profiere una mala palabra.*

SEGUNDO LEGIONARIO

Agradece, perro, al que te ha curado.

PRIMER LEGIONARIO, *que ahora, aliviado el pie herido, vuelve a su aire jovial y a su tono insolente.*

¿Viste ayer a Clodio?

SEGUNDO LEGIONARIO

Se encontró por la mañana con Cayo Julio César en las termas. Y estaba más pedante que nunca con su cinturón tan ceñido a la laticlavia que el cinturón de César parecía el de un gordo enflaquecido, de puro colgante.

PRIMER LEGIONARIO, *con apreciativa fatuidad.*

Clodio... Tiene rumbo. Sabe andar. Es elegante. Hay algo en él que da admiración. Yo tuve que defender ayer, ante unos campesinos, el peinado de Cayo Julio porque tiene cuatro pelos locos... y además por ese modo de llevar el cinturón... Pero tú y yo sabemos que cualquiera es un rústico al lado de Clodio.

(*El* SEGUNDO LEGIONARIO *se encoge de hombros, no se sabe si por ignorancia o por indiferencia.*)

Primer legionario

Clodio va a participar en un torneo y estoy seguro de que se va a llevar todas las apuestas. Sin embargo, apostando en contra, si perdiera, uno se llevaría un excelente premio. Estaría tentado de hacerlo... si no fuera porque uno es fiel a sus favoritos.

Segundo legionario, *incrédulo*.

¿Favorito tuyo? ¿Clodio?

Primer legionario

No hay duda: eres un pez frío que ni siquiera sabe dónde tiene la boca porque la abre y la cierra maquinalmente. La gente como tú pierde a Roma. ¿De quién no es favorito Clodio? ¡Es el hombre de más gracia que hay en esta tierra! ¿No ves a las mujeres tras él? Y la gente lo aplaude por dentro cuando pasa, aunque no es pretor ni cónsul ni nada que se parezca.

Segundo legionario

Lo aplauden por eso. No bien subiera, ya no pensarían más que en bajarlo. Al que está arriba se le ve desde abajo y no conviene que a uno le vean las piernas como son.

PRIMER LEGIONARIO

Claro: hablas como el pez. ¡Una filosofía de pescado!

SEGUNDO LEGIONARIO

¡Seré siempre pez y no pescado! No te hagas ilusiones porque me ves con estos ridículos arreos. No soy esclavo de nadie. Que sirva ahora a Cayo Julio no quiere decir que me deje embaucar. A mí no me compra nadie.

PRIMER LEGIONARIO

Te alquilan.

SEGUNDO LEGIONARIO

¿Alquilarme? ¿Por qué no? ¿No se alquilan acaso los más grandes, desde el pontífice máximo a los tribunos? [A mí, en esta pieza, este diálogo me pareció siempre largo. Pero, en fin, falta poco.]

PRIMER LEGIONARIO

El pescado con delirio de grandezas.

SEGUNDO LEGIONARIO

¡Cállate con tu Clodio!

PRIMER LEGIONARIO, *levantándose para desentumecerse y argüir con más autoridad.*

Clodio tiene ese poder de atracción que asegura la gloria a ciertos destinos. Me gustaría estar a su servicio. Lástima que todavía no tenga funciones o magistraturas comparables a la que domina en esta casa. Pero tiempo al tiempo.

SEGUNDO LEGIONARIO, *escupiendo.*

Eres de una asquerosa deslealtad. ¿Por qué te importa más, villano, ese mequetrefe presuntuoso que Cayo Julio César, a quien debes fidelidad y predominante reverencia?

PRIMER LEGIONARIO

¿Pues no hablabas tú mismo de vendidos y de alquilados? ¿Qué, entonces? Los que están investidos de gracia nos elevan al atraernos a su gracia, en tanto que los arrogantes que no la tienen proyectan sobre nosotros una sombra. ¿Es justo que seamos tan serviles como para vivir en esa sombra sin la opinión que por lo menos en espíritu nos libera?

SEGUNDO LEGIONARIO

Cállate. Hablas como un vulgar traidor.

PRIMER LEGIONARIO

Traidor, quizás. Vulgar no.

SEGUNDO LEGIONARIO

¡Repugnante cinismo!

PRIMER LEGIONARIO, *superior*.

¡Bah! Yo te haría, si tuviera ganas y tiempo, la apología de la traición y te quedarías con la boca abierta, porque no hay como contarles la historia a los simples para que se queden abismados... Pero no, ni siquiera vales la pena de eso, tú, que has estado por cobardía acurrucado en Asia junto a una pila de maderos. Otras cosas te enseñaré con el tiempo que son más prácticas y más dignas de ti que la historia, porque si fueras apto a que te contara la historia nunca habrías estado acurrucado junto a una pila de maderos.

SEGUNDO LEGIONARIO

¡Infectas calumnias inventadas por la malhadada Sofía Marcia a causa de no haber querido acostarme con ella porque estaba borracha perdida la noche en que se le ocurrió que me acostara! Y luego ha andado por ahí ventilando el despecho.

Primer legionario

No sé, no sé. La fama pesa más que la carne. Y eres gordo de parecer timorato. Además, volviendo a Clodio, ¿has encontrado a alguien que le niegue popularidad o a quien no le haga gracia?

Segundo legionario, *perplejo.*

No... la verdad... si se trata de gracia. Pero... ¿hacer gracia? ¿Y el valor, la nobleza de alma, la inteligencia, la fuerza?

Primer legionario, *con sonrisa protectora y despreciativa.*

¡Bah, bah, bah! ¡Las hunde lo pesadas que son! Mueren aplastadas, como el gato que en esta calle encontramos la otra noche. ¿Qué de todo eso con el suficiente tiempo de por medio y la tolerancia de los dioses, no has visto morir aplastado? *(Más despreciativo.)* Bueno... habíamos dicho que la historia, para ti... ¡El valor, el coraje, la inteligencia, la fuerza! ¡Qué hatajo de pesadeces! Pero la gracia, eso que tiene Clodio, no cae nunca. Dura. Ni siquiera entra en la historia porque la historia es el relato de lo que cae, la profecía de lo que se va a levantar para caer. Pero la gracia, simplote querido, es el permanente equilibrio; lo que está cerca de todos y a ninguno abruma; por eso cuando pasa Clodio yo no lo detesto, sino que me alborozo y admiro. En tanto que los superiores (*con una ojeada de repugnancia y malicia hacia la casa que guarda*) con su estar siempre por encima con tamaña carga... Por esa puerta me gustaría ver salir a Clodio: no se le cae el cinturón ni se rasca la cabeza con un solo dedo para que no se le desacomode el peinado. Nadie nota que está bien peinado. En el circo, en las calles, el pueblo lo mira y sonríe por dentro pensando que es un hijo de todos en quien el mundo ha dado una criatura perfecta...

SEGUNDO LEGIONARIO

¡Eh! Hablas como un orador. Quizá por eso —ahora me lo explico— detestas a Cicerón y a César y quizás a algún otro que te tienes guardado pero en cuyo ataque te harás elocuente, porque no hay como odiar para sentirse engrandecido cuando uno ha nacido del tamaño de un piojo... ¿Quién te enseñó a expresarte así? No sería la vieja Pompilia que hablaba sola a la puerta de tu casa y a la que yo temía a los diez años.

PRIMER LEGIONARIO, *con énfasis.*

Me he educado. Tú no ves más allá de los antebrazos y las piernas al aire, pero tengo otras cosas al aire que están a la vista aunque son menos visibles para ti. Me oyes hablar, pero todo resbala sobre tu caparazón submarino salvo el ruido de las palabras que de pronto encuentras agradable. Entonces abres la boca para elogiarme como un porquerizo que se ha dado cuenta de que algo aclara por el umbral de su guarida.

Segundo legionario, *volviendo los ojos a la puerta del fondo.*

Pero debe ser muy tarde ya. Cayo Julio César sale cada vez con más demora. ¿Qué hace ahí adentro?

Primer legionario

No te preguntes nada. No fuerces tu privilegiada cabecita. Cayo Julio se ensaya a sí mismo. ¿Has visto alguna vez a algún grande que no se mirara? Las palabras que emiten sirven a algunos de retratos. Las dirigen a sí, aunque supuestas para los otros, y las embellecen a gusto para que los reflejen como lo que se piensan ser. En cambio Clodio...

Segundo legionario

¡Cien rayos lo partan!

ESCENA II

(*Aparece* Cayo Julio César *que viene de adentro con su toga de pretor más floja de lo debido, sonriente y bienhumorado como por obra de un pensamiento que acaricia.*)

Los dos legionarios

¡Salve!

CÉSAR

Salve, caros. (Al SEGUNDO LEGIONARIO.) ¿De qué rayos hablabas? [¿Me habré aflojado bastante la toga? La sala está más llena de lo que parecía.]

SEGUNDO LEGIONARIO, *confundido.*

Señor, discutíamos de juegos.

CAYO JULIO CÉSAR, *mirando a su alrededor como quien observa si todo está en orden.*

En el juego no se discute. Se opta. (Al PRIMER LEGIONARIO.) ¿Qué tienes en el pie?

PRIMER LEGIONARIO

Un guijarro puntudo se me metió casi hasta el hueso al cruzar esta mañana la calle.

CÉSAR

Accidente menor. Creí que habías sido atacado. Por las mañanas aparecen las señales del amor rencoroso o de las venganzas conyugales. Pero ¡un guijarro! Ponte ungüento. [Veo a poca gente conocida.]

PRIMER LEGIONARIO

Me curaré con el secarse de mi propia sangre. (*Seña-*

lando con la barbilla al otro legionario.) Éste me vendó,
y la venda me aprieta tanto que es peor el remedio que
la herida.

CÉSAR

Has dicho veinte palabras de más sobre tu herida.

PRIMER LEGIONARIO, *estupefacto.*

¿Veinte palabras de más?

CÉSAR, *dirigiéndose hacia su silla, donde sin embargo no
se sentará.*

Quédense ahí fuera. Y si viene Clodio háganlo pasar.
[Debe de haber llegado ahora al camarín. No tiene remedio. Hablaré despacio para darle tiempo.]

> (*Los dos legionarios se disponen
> a retirarse hasta la puerta exterior,
> junto a la que antes estaban, pero
> no han hecho dos pasos cuando ya
> CÉSAR, volviéndose, los llama de
> nuevo, con tono seco y pronto.*)

CÉSAR, *lentamente.*

No. Sirvan de algo más útil que de piedras vivientes
en esta tarde tediosa. Como no pienso salir aún, ocupen

el lugar de mi tedio, llénenlo de alguna respuesta menos aburrida que la queja de este campeón vendado.

(*Sonríe irónicamente al* PRIMER LEGIONARIO.)

(*Los dos legionarios se detienen indecisos.* JULIO CÉSAR *llama al* SEGUNDO LEGIONARIO.)

CÉSAR

Ven aquí. Acércate. ¿Qué has hecho de útil en tu vida, aparte de vender a este gaznápiro?

SEGUNDO LEGIONARIO, *embarazado.*

¿De útil?

CÉSAR

O de inútil. Lo mismo da. Lo importante es que abras la boca y te abandones en lo posible a la elocuencia. (*El* SEGUNDO LEGIONARIO *mira al* PRIMERO *con azoramiento.*) Lo primero que debe saber un hombre es hablar, porque no hay más defensa útil que la que uno sea capaz de hacer de sí. Lo que uno mismo no puede amparar mediante hábiles argumentos es lo que la muerte —primero y último de los nombres de la derrota— ha ganado de antemano. No hay otra posibilidad de sobrevivir que la que da cualquier especie de elocuencia. Aun el médico no cura sino por lo que dice, y la belleza de las mujeres y el poder de los hombres se manifiestan mediante sus formas propias, que son formas de elocuencia. ¿Qué estás pensando? ¿A qué conclusión has llegado sobre mi pregunta? [Me siento enfático.]

SEGUNDO LEGIONARIO

Me casé. Soy detestado por mi mujer a causa de las historias de Sofía Marcia...

CÉSAR

¿Qué historias son esas?

SEGUNDO LEGIONARIO, *vacilante.*

Se trata de una mujer calumniosa que me persigue con su despecho.

CÉSAR, *caminando.*

¿Y por qué comienzas tu historia con la historia de otra persona reflejada sobre ella? Nuestro nacimiento y nuestra muerte, ¿atañen a alguien más directamente que a nosotros mismos? ¿Por qué empezar por alguien distinto de nosotros, ese actor y testigo solitario?

SEGUNDO LEGIONARIO, *explicativo.*

No he podido aprender muchas cosas...

CÉSAR, *deteniéndose, a foro.*

Lúculo no sabía lo que era el cerezo antes de verlo. Pero, en fin, noto que ignoras cómo contarte. Serás mejor para la filosofía. Los que no saben recitar lo concreto especulan sobre lo improbable. ¿Cuáles son tus creencias?

SEGUNDO LEGIONARIO, *de prisa.*

Señor: lo primero, que no me falte nada.

CÉSAR

Bravo. He aquí a uno que se eleva por sobre las categorías. Bravo. Yo llamaría aquí a los helenos para que te oyeran y se quedaran entristecidos de comprobar lo inútil y efímero de su orientación, en un mundo de luchas y de necesidades. Pero ellos creían en los espectros. Tú, estoy seguro, no has visto nunca un espectro ni te has cuidado de ellos.

SEGUNDO LEGIONARIO

He visto famélicos en España que parecían espectros.

CÉSAR

No es a esa clase de espectros a la que me refiero. Hablo de los que caben en una ánfora de Delfos. *(Los dos legionarios se miran estupefactos.)* ¡Espíritus! Yo tampoco creo en semejantes esencias. De lo contrario andaría todavía en Oriente contando historias y recitando poemas. No, no. No creo en espectros. Pero yo también, caro, me hice partidario de que no me falte nada; sólo que, ¿qué es lo que de todos modos me falta? En esa sola pregunta tal vez nos diferenciamos. He ahí el punto de escisión. No sé lo que me falta aunque sé que me falta. Pero no te plantees ese problema. Míralo como una cuestión para espectros... *(riendo)* o como un asunto para aventurados. *(Parece hablarse a sí mismo —como lo había sostenido el primer soldado— por su modo de no detenerse, y no dirigirse a nadie en verdad:)* Los ambiciosos como yo somos los espectros en un mundo de entes carnales. Renacemos en cada conquista, pero morimos antes de esos fútiles aunque deslumbrantes renacimientos. No parece que nos condujera la vida, sino que se nos anticipara la muerte, pues ella sola es la etapa que nos asegura la trascendencia en el modo de trasladarnos. ¿Y qué es la ambición sino un apetito permanente de traslados cada vez más absolutos? Es extraño cómo la muerte está más cerca de los agotadores de apetitos que de los indiferentes a las necesidades. *(Al* PRIMER LEGIONARIO.*)* Véte a la puerta a ver si viene Clodio. [¿A que el idiota aparece con la lengua afuera?]

(El PRIMER LEGIONARIO *obedece y el otro suspira por el sacrificio de mantenerse clavado en el mismo sitio, oyendo sin entender nada de nada.)*

ESCENA III

CÉSAR, *sentándose al fin.*

No creas que iba a hartarlos de filosofía. Simplemente ensayaba mi elocuencia. Nada se parece a las armas como la oratoria: la falta de uso las mella, y el tartamudeo es la melladura del discurso.

SEGUNDO LEGIONARIO

Habla, señor.

CÉSAR, *observando indiferente al* SEGUNDO LEGIONARIO.

¿De dónde has sacado esas correas?

SEGUNDO LEGIONARIO

Las hiciste repartir tú mismo al volver de España.

CÉSAR

Ah. He ahí un detalle que la historia hubiera olvidado, de tener que escribirla yo.

> (*Entra el* ECÓNOMO, *saluda con
> una inclinación de cabeza y se dirige a una de las vitrinas laterales,*

*que abre, de la que retira un objeto
y vuelve a cerrar. Al pasar junto al
dueño de casa para entrar nuevamente en las habitaciones interiores,*
CÉSAR *le dirige la palabra.)*

ESCENA IV

CÉSAR

¿Eres el ecónomo nuevo?

EL ECÓNOMO

Sí, César.

CÉSAR

¿Y qué anomalías encuentras en la casa?

EL ECÓNOMO

Ninguna.

CÉSAR

¿Nada te ha llamado la atención?

EL ECÓNOMO

El agua que cae del techo del baño y el hombre que
merodea por fuera todas las tardes.

CÉSAR, *ríe.*

¿Te refieres a Clodio? Ya me lo han dicho. Es gracioso.

EL ECÓNOMO

Así dicen que se llama.

CÉSAR

Pero no tiene importancia, ecónomo. *(Irónico.)* Ninguna. Es un meditativo.

(EL ECÓNOMO *vuelve a saludar
y sale.)*

ESCENA V

VINICIO, *que irrumpe en seguida alarmado.*

César, César... ¿Has desdeñado las palabras del ecónomo sobre tu seguridad?

CÉSAR, *bostezando.*

Las palabras de un ecónomo son melancólicamente previsoras, es justo que lo sean; pero las mías deben reducir las cosas a sus verdaderos términos.

VINICIO

¿Cómo puedes desdeñar el peligro, si de no ser por la rapidez de Curión que te cubrió a tiempo con su toga hoy no estarías aquí vivo?

CÉSAR

También eso es exagerado... Ven, querido Vinicio. (*Levantándose y yendo despacio con* VINICIO *hacia una de las vitrinas, la misma a que se dirigió el ecónomo.*) Fíjate en esa piedra preciosa arrancada en bruto de la tierra. Ha sido arrancada y traída aquí por su valor y por su brillo. Pues bien, aun con el crimen ocurre como con ella: no es un acto que se extraiga caprichosamente de entre las tinieblas de un pensamiento inconfesable. En el mundo, aun el crimen se produce negativamente por una razón de necesidad o por una razón de valor; esa necesidad o ese valor resplandecen en el ánimo indeciso del asesino haciéndolo que se decida al fin. Y en lo que a mí concierne, ¿qué valor o qué necesidad puede significar mi muerte para alguien? No soy alguien a quien se ha dejado de esperar, sino alguien a quien se está esperando. Cuando Curión intervino, intervino para parar una acción que desde el principio carecía de fuerza porque no obedecía a ninguna razón valedera. Todo lo indeterminado en su objetivo es indeciso en su ejecución. De modo, Vinicio, que no temas nada. La fruta de mi vida no amenaza caer del árbol... ¿Qué hacías?

VINICIO

Preparaba los regalos para el hijo de Vétere.

CÉSAR

Pensándolo bien... agrega algún tratado de filosofía. *(De buen humor.)* Nunca se debe desesperar de una cabeza...

VINICIO

Con todo, te aconsejaría cuidarte de ese que merodea...

CÉSAR, *mirándolo agudamente.*

No merodea por mí.

> *(VINICIO se aleja en la forma en que lo hizo antes el ecónomo. CÉSAR vuelve a sentarse.)*

ESCENA VI

PRIMER LEGIONARIO, *anunciando desde la puerta.*

¡Viene Publio Clodio!

CÉSAR

Al fin. Esperar me pone triste.

(*Precedido del* PRIMER CENTU-
RIÓN *entra* PUBLIO CLODIO.

*Es un hombre muy joven, casi un
adolescente, de gran belleza, elegancia, soltura y distinción.*

*Saluda al pretor riéndose, con un
ademán de la mano juvenil fina y
pálida. Sus facciones ostentan la belleza translúcida tan elogiada en su
hermana, la mujer de Lúculo.*)

ESCENA VII

CLODIO

Salve, Cayo Julio César.

CÉSAR, *sin levantarse.*

Esperarte empezaba a hacérseme virtud. Nada me agobia como no hacer. Si quieres saber algo para el día de
mi suplicio, infórmate de que me agotaría en pocos días
pensar sin actuar.

CLODIO

¿Y actuar sin pensar?

CÉSAR

Eso pertenece al orden del sonambulismo. La peor es-

pecie de locura: la locura física. Pero no es de nuestra
estirpe, Clodio. Tú también estás determinado por la
cabeza.

CLODIO

Quién sabe.

CÉSAR

¿Entonces?

CLODIO

¿Con qué parte de sí embiste el toro?

CÉSAR

Con el testuz.

CLODIO

Con su arrebato más lúcido y con su más ciega energía.
¿Cuál es más potente en él? ¿La ceguera o la lucidez?

CÉSAR

Embiste con su masa.

CLODIO

Sí, ¿pero esa masa no es el resultado del pensamiento más compacto?

CÉSAR, *dubitativo.*

¿Pensamiento, pensamiento?

CLODIO

Iluminación.

CÉSAR

Siéntate. (*El actor que hace de Clodio vacila.*) [¡Pero vas a sentarte o no!]

>   (CLODIO *se sienta frente a la silla
>   curul que ocupa* CAYO JULIO CÉSAR.
>   *Los dos legionarios se han retirado.
>   Uno monta la guardia junto a la
>   puerta exterior y otro junto a la in-
>   terior.*)

CLODIO

Te mandé decir demasiado tarde que no vendría ayer.

CÉSAR, *sonriente.*

¿Fue tu adivinación lo que te llevó a creer que no estaría Pompeya aquí y que yo soy más *con* ella?

CLODIO

¿No estaba?

CÉSAR, *levantándose.*

Había ido con mi madre al encuentro de Mucia. *(Mirándolo fijamente.)* Pero está hoy; y la verás.

CLODIO, *rápido.*

He venido a verte a ti, Cayo Julio César. Nada me interesa como saber lo que harás en estos meses decisivos.

CÉSAR

Me halaga. [Le he enseñado que diga eso más despacio.]

CLODIO

¿Qué figura que se te acerque? Muchas cabezas; pero incompletas. He aquí a Roma. Sila vengativo; Pompeyo veleidoso, el más tornadizo de los hombres; todos los demás, meros seguidores o asteroides insignificantes al lado de los cuales tú eres el único cuyo destino me parece digno de profecía y quizás temblor... ¿Qué crees que puede interesarme más que tu espectáculo? Soy hombre en quien la vista importa y mi vista necesita de los acontecimientos de cierto formato...

CÉSAR, *mirándolo un momento y levantando luego al techo la mirada.*

¡Hem! Qué inseguro estoy de tu vista. ¿Estás seguro de ella? ¿O con respecto al espectáculo que buscas te engañas? *(Intencionado.)* ¿No será que te gustan las cosas que me rodean... estos objetos... esta claridad... estas mesas de Delfos... estas bonitas estatuas familiares... tal vez algo más que a lo mejor ni tú mismo te confiesas...? ¿Has hurgado lo suficientemente en ti? ¿No serás el instrumento involuntario de cierto doblez para contigo mismo?

CLODIO, *sorprendido.*

¿Por qué me preguntas eso?

CÉSAR

Vaya a saber. Te gusta demasiado el circo desde que te conozco, para que te guste bastante lo que no se consume según la necesidad de ciertos vértigos. Y no hay en mí, Clodio, nada de acelerado. De todas mis leyes conductoras, hay una sola que viene a la zaga: la de ir demasiado rápido. Y eso debe estar contra ti, Clodio.

CLODIO

¿Sabes algo de mí que no sea mi aspecto externo?

CÉSAR, *con cierta indiferencia.*

Sí, sé algo. Eres inteligente. Puedes servir... tal vez de mucho. Pero tú mismo has señalado a los ojos de los otros predilecciones llamativas: el éxito, la dilapidación, las mujeres, las intrigas, el riesgo, ciertos desenfrenos...

CLODIO, *sonriendo alegre.*

¿Serán verdaderas? ¿U ocultan en mí otra cosa?

CÉSAR, *caminando.*

Puede ser.

CLODIO

¿Y estimas en mí algo, aparte de la inteligencia?

CÉSAR

Sí.

CLODIO

¿Qué?

CÉSAR

Tu vulgaridad.

CLODIO, *riendo aún, sin desconcertarse.*

¿Puedes estimar *tú* eso?

CÉSAR

Estimo lo auténtico.

CLODIO

¿Lo negativo?

CÉSAR

¿Qué hay de negativo si se le sabe sacar partido?

CLODIO

No me afecta gran cosa su calificación, es cierto. Porque a ciertas eternizaciones elegantes en las familias más antiguas, sólo puede salvarlas el producirse en ellas mismas la exacerbación de su contrario. Un aristócrata vulgar se libera por su propia cuenta...

CÉSAR, *irónico.*

Es posible.

CLODIO, *aparentemente sincero.*

Y sin embargo, César, yo no podría modificar mis sentimientos hacia ti, la admiración que me causas, la intriga y la expectativa que obtengo de verte actuar.

CÉSAR, *sentándose otra vez en la silla curul.*

Gracias nuevamente.

CLODIO

Es la verdad.

CÉSAR, *redoblando el tono malicioso e insinuante.*

Pero para tu concepción de mí, Publio Clodio, insisto en que yo debo ser más que yo mismo estando con Pompeya. ¿No es cierto?

CLODIO, *con graciosa insolencia.*

Más que tú mismo en la acepción de belleza. Qué duda cabe.

CÉSAR

Clodio: es muy bonita y te gusta.

CLODIO

Si no me gustara el palacio de Lépido yo sería el más miserable de los miserables. No me preguntes por lo que me gusta mientras tengas ojos. Lo que te gusta me gusta, querido Cayo Julio. Somos dueños de los ojos, pero lo que reflejan es nuestro conductor.

CÉSAR

Haré llamar a Pompeya.

CLODIO

Háblame de lo que te he preguntado.

CÉSAR

Haré llamar a Pompeya para que su reflejo te conduzca más placenteramente que el mío.

CLODIO

Te veo reflejado en mi vista distinto de Pompeya, pero tan poderoso como Pompeya en un orden tan diverso...

Eres más importante para mí que el dueño de algo. Más aun que el dueño de algo hermoso. Porque eres el dueño de lo que no es, y eso que no es tiene un resplandor muy grande, tan grande... Es como si fueras el dueño de algo que está más allá, pero que puede ser abarcado por un sentido anunciador. Y yo soy sensible a ese sentido.

CÉSAR, *cordial y vivamente.*

Perteneces a mis predilectos porque mandas con las palabras más que con la ejecución misma. Y ahora me mandas que crea en tu diestro elogio... Perteneces a mi secta. [Falso a más no poder.]

CLODIO, *riendo.*

¿Las palabras valen por las conquistas?

CÉSAR

Valen por las conquistas cuando van más allá de la verdad y solivianan con sus engañosos mitos, destructores y eficaces como ejércitos.

CLODIO

Eso es inmoral, querido Cayo Julio César.

CÉSAR

Inmoral es la derrota.

CLODIO

Dices eso y no has sido nunca cruel con los derrotados.

CÉSAR

No es menester ser cruel con lo inmoral para que lo inmoral sea inmoral.

CLODIO

¿Y la verdad entonces?

CÉSAR

La verdad es el más sublime de los métodos del conocimiento y el peor de los métodos de triunfo. Porque el mundo ha hecho que la verdad, por grande que sea, es limitada, mientras la realidad es ilimitada. ¿No comprende también a la mentira? Las promesas de lo ilimitado son siempre más cautivantes y poderosas que las promesas de lo limitado por sublimes que sean. No se engaña, no se especula sobre la ilusión con lo sublime, sino con lo calculadamente incalculable, y lo calculablemente incalculable no es nunca verdadero. (*Cambia vivazmente de tono.*) Pero vamos a mis proyectos.

CLODIO

Sí.

CÉSAR, *después de mirarlo largamente con cierta recón-
dita desconfianza.*

Mis proyectos... Veo adelante lo ilimitado. Pero en mi
método lo ilimitado tiene contorno. Hay algo que no
existe en mí: es la vaguedad. Dejo a mis víctimas ese
producto para vencidos. Doy, al revés, el título de ilimitado a una sucesión metódica de grados cuya posibilidad
es de tal magnitud que se parece a lo imposible siendo lo
más realmente posible. Te enumero tres de esos grados:
uno, la ley; otro la conquista; otro el poder supremo.
Cada una tiene a mis ojos su figura concreta. Pero no te
confiaré esas imágenes; mi misión no es narrártelas, sino
anunciártelas, puesto que, según dices, te interesan. (*Ríe.*)
Tienen algo de la hermosura de Pompeya, pero además
la autoridad concreta sobre los ciudadanos... y cada ciu-
dadano. El poder de usarlos como instrumentos lo mismo
de la justicia como de la injusticia, de la benevolencia
como de la venganza. (*Riendo siempre.*) No es una amenaza, caro Publio Clodio. ¿Por qué había de amenazarte?
Al revés el destino parece representarte a mi instinto como
muy próximo a mis empresas...

CLODIO, *divertido.*

¿Eso piensas?

CÉSAR

¿Será verdad? ¿Será mentira? De ti depende; pero también del destino que nos manda.

CLODIO

Quieran los dioses que sea verdad.

CÉSAR

Veo formas, gentes, ciudades. Galia, Egipto, una mujer, jóvenes ensangrentadas, un tirano que agoniza, una traición infinita, una extraña sala con un busto... Pero tú no estás ahí, querido Clodio.

CLODIO

Cuéntame más.

CÉSAR

Te contaré más, pero primero haré venir a Pompeya. (*Llama con una seña a uno de los legionarios, el que custodia la puerta interior.*) Llama a mi mujer. Díle que está aquí Publio Clodio. Y que quiero que lo vea.

CLODIO, *cínico.*

Si quieres mostrarme a Pompeya a toda costa...

CÉSAR, *frío y enigmático.*

Me gusta que la vida pase ante mis ojos. Lo que veo

me cautiva siempre. De todas las maneras de conquista, la mirada es la más dulce y la más humana.

CLODIO, *observándolo.*

Estás delgado.

CÉSAR

Consumido por la inacción y por la expectativa. En Rodas, aun la perspectiva de la muerte me vitalizaba. No temo mientras actúo, pero temo a los grandes espacios que la vida abre ante nosotros sin decirnos nada... a esos vacíos, tan misteriosos, largos, sin obra, sin mensaje, que ¿de qué estarán poblados...? Ellos me entristecen y me agotan como nunca me entristecieron los peligros.

(Reaparece en la puerta del fondo el PRIMER LEGIONARIO *seguido de una figura de anciana, austera y lenta.*

La anciana se detiene, luego avanza. Es AURELIA, *madre de César.)*

ESCENA VIII

CÉSAR

¿Eres tú, madre? Hice llamar a Pompeya. Estoy aquí con Publio Clodio y la esperábamos.

AURELIA

Pompeya no vendrá.

CÉSAR

¿Qué le sucede? Hace un rato estaba animada y encendida.

AURELIA, *lacónica y seca.*

No. No vendrá.

CÉSAR

¿Por qué causa?

AURELIA

Teje en sus habitaciones y no debe dejar ese tejido.

CÉSAR, *con una carcajada.*

¡Pésima tejedora! ¡Es más benéfico verla que echarse al cuello sus boas! Llámala, madre.

AURELIA

No debe dejar ese tejido.

César

¿Teje un chal para ella o una boa para mí?

Aurelia

Teje su chal para la noche de la Buena Diosa.

César

Verdad que faltan tan pocos días.

Aurelia

Para la noche del siete de diciembre.

César

¡Bah, bah, bah! Que deje la obra para más tarde y venga a vernos.

Aurelia

Es la mujer del pretor y ella presidirá las ceremonias.

Clodio

No será perturbada por mí.

CÉSAR

Fue mía la idea de que viniera. ¿Acaso puedo abrigar temor sino ante las tentativas invisibles de mi imaginación? Quise que viniera a estar en nuestra sociedad.

AURELIA

Teje su chal para la fiesta de la Buena Diosa y no debe dejar ese tejido. [Ah, cuánto quisiera no estar aquí...]

CÉSAR

¡Díle que venga!

AURELIA, *inflexible.*

No debe dejar ese tejido.

CÉSAR, *incorporándose.*

Pues yo iré a buscarla, madre.

AURELIA

No. No irás a buscarla. Su función es la de la mujer del pretor; y el pretor no debe perturbar a la mujer del pretor.

CÉSAR, *con creciente impaciencia.*

¿Conoces acaso tú mis vías? Todo lo que yo ordeno es una orden de batalla. Aun mis caprichos tienen la forma de la espada, porque yo estoy detrás para que no sean quebrados. ¿Por qué quieres quebrarlos, madre? ¿Lo que quieres es quebrar mi espada?

AURELIA

Todo lo que no puede quebrarse ha de ser espada para ti. Y el tejido para la ceremonia que teje la mujer del pretor no debe quebrarse.

CLODIO, *sin incomodidad.*

Los veo disputar sin que me explique la causa de la disputa. Otro día veré a Pompeya, Cayo Julio César. Déjala que concluya su obra.

CÉSAR, *dirigiéndose a su madre.*

Que concluya su obra... ¿Oyes eso? (*Misterioso y violento.*) ¿Por qué ha de concluir ella su obra y no yo la mía, que no está sólo en lo más significativo sino también en lo más insignificante? ¿Por qué intervienen en esto los espíritus domésticos? He querido que viniera Pompeya y ha debido venir; pero tú has aparecido como si fuera tuya la espada y mío el género que con ella se corta. No entiendo, madre, y ordeno tu explicación.

CLODIO, *ligero.*

¿Por qué te exaltas? ¿Qué importancia tiene todo esto?

AURELIA

No ordenes, Cayo Julio César. No ordenes como el emperador de los romanos. Eres el pretor y debes velar por la mujer del pretor.

CÉSAR, *con una carcajada.*

¡Emperador o pretor! ¿Quién es más grande que el tamaño de su cuna o más pequeño que la envoltura de su piel?

AURELIA, *con el tono exacto en que lo ha dicho antes.*

Eres el pretor y debes velar por la mujer del pretor.

CÉSAR

¿Velar por ella?

AURELIA, *retirándose, digna, sin saludar a Clodio.*

Por las obligaciones de su rango y por las obligaciones de su carne.

CÉSAR

No entiendo lo que quieres decir, madre de Cayo Julio César. No entiendo tus palabras sino por su significado más obvio, no así por su ignorancia de mis principios y la adivinación de mis fines, que deberían serte tan familiares como las obligaciones del pretor hacia la mujer del pretor. ¿O es que no valen tanto las obligaciones del pretor para con el pretor, por obscuras e inextricables que parezcan?

AURELIA, *que se detiene, pero sin darse vuelta.*

¿Por obscuras e inextricables que parezcan? [¡Cuánto quisiera estar lejos, lejos!]

CÉSAR

Ah, el dominio de las madres es el dominio de lo aparente porque manejan su instinto según los riesgos que amenazan a los seres primarios. Pero yo ya no soy tu hijo, madre. Sino el adulto encaminado hacia su objeto. ¿Y crees tú que mi objeto es necio o ligero, pueril o negligente? No. Mi objeto está más allá de mí y sólo yo que voy a su encuentro para alcanzarlo conozco sus caminos y sus atajos, sus desvíos aparentes o sus impredecibles recursos para sus predecibles consecuencias. Véte; y que no venga Pompeya.

(AURELIA *ha desaparecido ya por la puerta del fondo.*)

ESCENA IX

CLODIO

No he entendido una palabra de todo esto. Siento que también debo irme.

CÉSAR, *levantándose.*

También puedes irte, Publio Clodio. Y yo saldré contigo y te acompañaré por las vías más próximas. Comprendo tu desorientado fastidio por no poder hallar nunca aquí a Pompeya. Ella y mi madre son seres secretos; aves que prefieren las paredes al vuelo. Pero yo, querido Publio Clodio, me hallo ahogado ante las paredes, y he nacido para que delante de mis ojos todo lo que suceda sea como el espectáculo —así fuera el más terrible— dominable por la mano de un director que lo atestigua o lo paraliza y no por la mano temblorosa de un niño que le teme.

(*Salen* CAYO JULIO CÉSAR *y* PUBLIO CLODIO *por la puerta exterior, y el legionario los saluda con el brazo mientras ellos se alejan uno al lado del otro por la calle.*)

FIN DEL PRIMER ACTO

TERCERA PARTE

INTERMEDIO

El telón está bajo después del intervalo. Faltan unos minutos para la iniciación del segundo acto. Aparece por la derecha en la angosta franja del proscenio que queda libre entre el telón y las candilejas el actor aficionado que en el primer acto hizo de PRIMER LEGIONARIO. *Viste aún las mismas ropas. Trae en la mano un banco muy pequeño en el que ha estado sentado en el interior del escenario, pero no lo coloca en el suelo sino que lo conserva asido. Se detiene, siempre a la derecha, apretando el banco bajo el brazo, y enciende un cigarrillo con un encendedor moderno. Aparece por la izquierda el aficionado que desempeñó el papel de* SEGUNDO LEGIONARIO. *Se dirige al sitio donde está el otro actor.*

SEGUNDO LEGIONARIO, *luego de echar una mirada a la sala, y cuchicheando.*

Hay bastante gente.

PRIMER LEGIONARIO, *también en voz muy baja.*

Entremos. Nos están viendo.

Segundo legionario

No nos oyen. Y esto pone un poco de improvisación y de intriga. Se preguntarán: "¿Qué hacen esos?" La obra se anima. Cuando el público no entiende cree que se trata de algo original o de un recurso nuevo, tan nuevo que es novísimamente ininteligible...

Primer legionario

La semana que viene trabajo en un profesional.

Segundo legionario

¡Otro que se fue!

Primer legionario

¿Voy a estar toda la vida aquí?

Segundo legionario

Cuando uno se vuelve profesional de algo, empieza a volverse un mal aficionado de sí mismo.

Primer legionario

¿Qué quiere decir eso?

SEGUNDO LEGIONARIO

Quiere decir que la inspiración es la sorpresa. Y cuando uno se profesionaliza la sorpresa se vuelve hábito, deja de existir. O por lo menos deja de existir como sorpresa.

PRIMER LEGIONARIO

No. Porque la sorpresa se vuelve experiencia, madurez, sabiduría.

SEGUNDO LEGIONARIO

¿Una obra como la de esta noche, tan particular y tan discutible, podrían hacerla los profesionales inteligentemente? Nosotros tenemos algo... algo tenemos siempre, de explorativo, de inseguro, de verdaderamente emocionado, de vulnerable... por consiguiente de humano... Y ese algo es lo que yo quiero en lo que hacemos. Es el respeto al espíritu de las acciones, a ese contenido inexpresable que las palabras conservan todavía. Nuestra audacia está hecha de un temor superado, pero todavía cálido, vivo. Los profesionales rara vez temen. Están seguros de su máquina, de que las monedas que dejan caer son siempre iguales. Repiten. Y un teatro joven, yo creo, es un teatro en que se repite poco para poder crear siempre.

PRIMER LEGIONARIO

Sí, pero...

> *(Asoma por la izquierda un elec-*
> *tricista del teatro, vestido con un mo-*
> *no azul, de cara agitada y descom-*
> *puesta, el cual grita iracundo a los*
> *dos actores que hablan.)*

ELECTRICISTA

¡Salgan de ahí!

> *(Los actores desaparecerán veloz-*
> *mente por la derecha, mientras se*
> *levanta el telón.)*

ACTO SEGUNDO

Primer Cuadro

ESCENA I

*El proscenio del teatro de aficionados, que está total-
mente a obscuras, oculta una calle de Roma: tres casas,
una detrás de otra, en progresión ascendente.*

*Se oirá el rumor que hace una figura al pasar y ser
detenida por otra y alarmarse y sobrecogerse profunda-
mente.*

*El diálogo que va a empezar se organiza en los térmi-
nos del mayor sigilo, sin que no sólo no puedan identifi-
carse el hombre y la mujer que hablan, sino ni siquiera
pueda adivinarse el contorno de sus cuerpos, a los que
una intensa incitación anhelante establece en pugna.*

*Toda la conversación es rápida, arriesgada, sigilosa; y
por parte del hombre que habla, en extremo insinuante y
en extremo sensual.*

PRIMERA FIGURA, *una mujer, que no se distinguirá en
la obscuridad, con autoridad y cólera.*

¡De quién es la mano que me toca! ¡La mano que se
atreve!

SEGUNDA FIGURA, *un hombre, en voz muy baja.*

Soy yo... No una sombra. El hombre que te busca a toda hora y por toda hora. [Estoy tranquilo.]

PRIMERA FIGURA, *reconociéndolo.*

¡Cómo!

SEGUNDA FIGURA

Sí soy yo. Y el calor de la mano que te toca es una parte de ese encendimiento de mi cuerpo que quiere abrazarte en su propio furor...

PRIMERA FIGURA

¿Furor?

SEGUNDA FIGURA

¿No se llama así a esta falta de sosiego... a esta necesidad... a esta cólera... a este ardor... a este apetito de mi carne que no se apaga, que no se mitiga, que necesita de sentirte ya, ahora, aquí...? *(Susurra un nombre ininteligible para el público.)* Sólo decir tu nombre, sólo serme tolerado, me vuelve parecido a lo que era: una sombra con felicidad. *(La besa precipitadamente.)*

PRIMERA FIGURA

¡Deja mi boca! ¡Deja mi boca!

> *(Se percibe el movimiento del rechazo.)*

SEGUNDA FIGURA

¿Por qué esa obstinación, esa renuncia? *(Susurrante y apremiante.)* Ahora, acá, en esta calle, en este sitio donde nada nos perturba...

PRIMERA FIGURA

Estoy a cien metros de una casa que respeto. No me obligues a matar ese respeto. Eso parecería cosa de villanos, no de gente de nuestra especie. Y esta espera aquí, este asalto, te lo perdono, ahora, porque siento, porque ya casi me contagia, esa pasión con que me circundas, en cuyo círculo me resisto a entrar desde hace tiempo pero cuyo abrazo viene detrás de mí y aunque me vaya me da alcance... ¿Por qué tan pronto abandona la carne la soberbia, la contención, el decoro? *(Ante el nuevo intento del hombre.)* ¡No! ¡No! ¡Deja mi boca! Todavía me mando. Y me obligo a esta defensa.

SEGUNDA FIGURA

Te toco. ¡Todo tu cuerpo está tan apretado...! Y tiene el mismo calor del mío... el mismo impaciente apetito. Ven.

PRIMERA FIGURA

No. Seguiré aquí, sin moverme. Y aunque mi cuerpo arda, será como una estatua que ha perdido el frío pero que es todavía estatua. Y sólo me moveré para ir a mi casa, donde ya he debido estar.

SEGUNDA FIGURA

¿No sientes mi presión? ¿Mi apremio insaciable? El pulso que me incita. Esta voluntad incontenible en que sólo soy un cuerpo sediento... ¿Oyes la noche, este silencio, la soledad total, sólo el mundo y nosotros? ¿Qué debo decir? ¿Qué palabra valdría la falta de lenguaje de un cuerpo que no habla más que por su presión y por su latido?

PRIMERA FIGURA

¡No digas nada! ¡Me voy!

SEGUNDA FIGURA, *cada vez más incitante.*

No. No... Espera aún con tu cuerpo pegado al mío... como está. En esta inmediata lejanía, con Roma olvidada de nosotros, salvo el cielo, pálido de no ser. En esta suspensión de otra cosa que tu contacto.

PRIMERA FIGURA

No. Me voy. ¡Adiós!

SEGUNDA FIGURA, *en voz apenas audible, sibilante.*

No... Espera.

PRIMERA FIGURA

Piensa ahora quién soy. Lo ordeno. En mi brazo has clavado la víbora de oro que llevo. Me haces daño. Suéltame.

SEGUNDA FIGURA

Dañarte... ¡Eternamente! ¿Entonces cuándo?

PRIMERA FIGURA

Alguna vez. Mañana, si puedo. Porque después será la fiesta de la Buena Diosa y desapareceré. O nunca.

SEGUNDA FIGURA, *sensual y suplicante.*

¡Ahora...! ¡Ahora!

PRIMERA FIGURA

Cumplo con mi autoridad. A mí misma me ordeno. Adiós.

(*Una figura, se siente que desaparece. Y la figura del hombre queda sola, atrás, en la obscuridad de la escena y en el fracaso de su insistencia.*)

ESCENA II

En el escenario del teatro de aficionados aparece la casa de César, durante la noche de la ceremonia de la Buena Diosa. La enorme sala del primer acto parece otra, debido a la iluminación desmesurada y a la decoración propia de este género de fiestas o misterios.

En el momento de alzarse el telón, una criada, TEDIA, viene a la habitación practicable que hay sobre la derecha, en busca de una lámpara, con la que luego saldrá llevándola hacia el interior de la casa, donde se hallan reunidas ya las mujeres y libradas a los festejos de la ceremonia. Al salir con la lámpara en las manos, la criada se topa en la sala con una anciana invitada, que ha venido a asomarse desde el interior con el propósito de cerciorarse de si la criada ha encontrado la lámpara y la lleva adonde era necesaria.

La anciana JULIA viste un ropaje de gran lujo y en sus manos —que se agitan en la preocupación de que las cosas sean alistadas rápidamente— relucen anillos aparatosos de oro. Con su nariz de pico de alcuza, su andar a saltos y sus carnes débiles, viejas y fláccidas, parece más un pájaro que una de las nobles amigas de AURELIA. Interroga precipitadamente a TEDIA.

JULIA

Llévala pronto. Va a empezar la segunda representación y Aurelia no quiere retrasos.

TEDIA

Los hombres dejaron la casa demasiado tarde. César, los lictores Decio y Marco, y toda la servidumbre, partieron después del obscurecer. Y todavía el amo volvió en busca de unos escritos que había olvidado.

JULIA

Sí, pero todas las mujeres han sido puntuales. Algunas encontraron a César al llegar, y la vergonzosa Litinia se ocultó en una puerta para que no la viera porque ella, novicia, lleva al extremo la pureza de esta noche. Yo también, en las primeras fiestas de la Buena Diosa, tenía la impresión de no ser... bastante virgen... Y calculaba al entrar que iba a caer sobre mí, por hallarme cubierta de más o menos ilusorios pecados, la cornisa de la casa de Tito. Ay, ¿a quién no le ocurre? ¿No hallaste otra lámpara mejor?

TEDIA

Era la única.

JULIA

No sé por qué las lámparas de esta casa parecen siempre de segunda mano... ¿Será el ecónomo un tímido e inhábil precursor de eso que César llama... cómo?

TEDIA

Negociado.

JULIA

Negociado.

TEDIA

¡El ecónomo tiene tal cara de honesto!

JULIA

No se ha descubierto, querida niña, cara que se parezca más a la de la nostalgia que la cara de la honestidad. No hay que fiarse de caras. Los que nos agravian nos ponen siempre cara de agraviados.

TEDIA

¿Qué hago con la lámpara?

JULIA

Tráela.

> (*Desaparece con la mayor prisa posible llevando a la zaga a* TEDIA. *Desde el fondo llegan los ecos de una melodía sacra, cuya dulce monotonía se posesiona del gran vacío de la sala de* CÉSAR. *La melodía se aviva, paulatina, progresivamente. Algún grito de mujer —exclamación o invocación— interviene de pronto con su corto chillido en la melopea.*
>
> *En un instante dado viene desde el interior* POMPEYA, *seguida de* ABRA, *su esclava. La mujer de* CÉSAR *se inclina al oído de la servidora y le habla sigilosamente. Su aire denota crítica agitación.*)

ESCENA III

POMPEYA

Romperá la ley sagrada.

ABRA

Es hábil.

POMPEYA

¿Cómo habría podido yo evitarlo? ¿Cómo habría podido evitarlo?

ABRA

Imposible.

POMPEYA

Me causa tal gracia... Me fuerza a ser débil. ¿Viste salir a César?

ABRA

Sí.

POMPEYA, *inquieta.*

¿Dijo algo?

ABRA

Reía. Al atravesar este cuarto palmeaba en el hombro a Marco, el lictor, comentando la fiesta, que lo obligaba a dejar por una noche la casa. En su voz se notaba filosa una intención, y era cruel. (*Imita la voz de* CÉSAR *dándole un tono marcado de ironía o sarcasmo.*) "Por una vez dejan de mentir conscientemente —decía—. Bueno es dejarlas. Pero, ¿es la Diosa, o son ellas mismas, benévolo Marco, el fin de estas ceremonias llamadas místicas? ¡Pregúntaselo a las histéricas más francas: Pomponia o Duilia! Después de la última noche de la Buena Diosa tuvieron que aplicarles quince baños fríos en las termas de la Vía Latina. Los resultados de la exacerbación sagrada se posesionaron de las dos en tal modo que chillaban y pegaban a sus maridos como furias hasta el momento de la aplicación de los baños... Pero dejémoslas. El espíritu divino legisla la soledad y secreto de las mujeres, esta noche. En las termas tendrán que tener lista el agua fría..." Eso decía el amo a Marco al salir.

POMPEYA, *siempre temerosa.*

¿Nada más?

ABRA

No oí más.

POMPEYA

No tiembles como yo, Abra. Debí temblar ayer al saberlo, al imaginarlo; pero tiemblo hoy. ¡Qué dulce y lejano parece todo cuando precede a un gran peligro!

ABRA

Tu serenidad será la ley: eres la mujer de César. Volvamos adentro.

POMPEYA

¿Por qué no me escucho, Abra? ¿Por qué me estremezco y no me digo: "Soy la mujer de César", en vez de decirme: "Soy esta parte de un temblor"?

ABRA, *sigilosa.*

No nos quedemos aquí solas.

POMPEYA

De pronto parecería que saliéramos de nuestra vida a algo que no es nuestra vida. Y que viéramos nuestra vida ahí abajo, como algo extraño que nos sorprende, brutalmente distinto de nosotros y a nosotros ajeno. Como un pez que después de saltar al aire volviera al mar, y encontrara el mar monstruoso, mundo increíble de haber vivido allí y al cual asombrosamente no pertenece. Un choque, un golpe, una repentina iluminación nos arranca de nuestra vida, y por esos momentos estamos fuera, en otro continente muy lejano: el de otros nosotros desde los cuales ahora nos desconocemos con asombro y horror. ¿Y no ocurre algo parecido con el relámpago que abre la noche? Ese instantáneo resplandor diurno no nos muestra la noche, sino un fragmento del día mortal, algo que estando en la noche no es la noche en el instante de fulgor... Eso me pasa ahora, Abra. ¿Qué es mi vida? ¿En qué consentí? No era yo; y ahora lo veo.

ABRA

No entiendo nada de eso. A menos que sea un poco de delirio.

POMPEYA

No es delirio... Es como tocar de golpe un piso de nuestra vida al que no habíamos ascendido. Estábamos viviendo en el otro, en el de más abajo: ¿por qué no habíamos vivido en el de más arriba? Y ahora ya es tarde. Además ¿cómo empezar? ¿Cómo es ese día que el relámpago nos muestra?

ABRA, *harta*.

Hazle todas esas preguntas a la Buena Diosa... Y vámonos adentro porque esto es imprudente.

(Desaparecen despacio por la puerta que antes franquearon.)

ESCENA IV

(Súbitamente aparecen ante la puerta exterior, llegadas de la calle, tres mujeres, esquivas, casi tapadas, ataviadas con lujo, las cuales entran, atraviesan de prisa la vasta sala y

*desaparecen por la puerta interior.
En otra ocasión se habrían detenido
a examinar en la vitrina de la izquierda los objetos de Rodas encar-
gados meses antes por el dueño de
casa; pero esta vez vienen pesarosas
de retardo, sin tolerancia para su propia curiosidad.*

*A los pocos segundos llega otra
invitada, una jovencita al parecer,
si es que lo complicado del vestido
y tocado, semejantes a la ropa y
arreos de una cantora, deja adivinar
algo de ella, excepto su elegancia y
su belleza; y no avanza directa como
las otras, sino que se detiene, dudan-
do, a la entrada de la sala. Aguarda
inmóvil en ese sitio, de espaldas a
la boca de la escena, tan inmóvil y
por tantos minutos, que se crea pronto una especie de suspenso, ya que
ella parece una estatua y no se adi-
vinan sus pies.*

*Al fin, cauta, asoma al fondo, en
la puerta interior, otra figura de mujer, que es la misma* ABRA, *la cual
observa la sala de* CÉSAR *y al comprobar la presencia de la misteriosa
invitada viene cautelosa y acelerada-*

mente hacia ésta. La INVITADA *entonces se mueve a su vez en la dirección de la que ha venido a buscarla, y las dos figuras cambian en voz sigilosa algunas palabras.)*

ABRA, *en un tono pronto, pero apenas amable.*

Avisaré a la señora. *(Exit.)*

ESCENA V

(La misteriosa INVITADA *vuelve a su actitud primitiva, y permanece de nuevo a la expectativa, inmóvil. Aguarda, corrigiéndose el tocado. El tiempo pasa. Pasa aún, y nadie aparece al fondo ni por ningún otro sitio. Entonces se ve a la* INVITADA *impacientarse, dar unos pasos, curiosear un poco la sala, y dirigirse al fin, no sin alguna vacilación y tentantes pasos laterales, hacia la puerta interior que conduce hasta los salones posteriores, donde en aquel momento sucede una parte de la ceremonia. Se asoma por esa puerta y al fin se desliza aventurada.*

No han pasado, sin embargo, más que unos cuantos minutos cuando

*por esa misma puerta irrumpe rui-
doso en la sala el tropel de mujeres,
más de una veintena de amigas de
POMPEYA agrupadas por ella. (Se ve
monías y presididas por ella. (Se ve
que en el teatro de aficionados dis-
ponen de un buen grupo de mujeres preciosas. Éstas lo son; y actúan
con el desparpajo y el brío de las
mujeres que se saben admiradas.)*

*Las que inician el ingreso del
conjunto festivo conducen en alto,
sobre una plataforma similar a un
gran palio, el dragón postrado a los
pies de la Diosa. En brazos y cuellos
exhiben muchas de las mujeres guir-
naldas de viña, uvas ornamentales
alternadas con hojas verdes de parra;
del mismo tipo de algunas de las
que adornan la sala. Las mujeres,
viejas y jóvenes, llenan pronto en un
haz compacto y vistoso la parte lejana y posterior del recinto; allí de-
positan las conductoras la plataforma
con el dragón sagrado. POMPEYA
impone al grupo su aire de tristeza,
preocupación y majestad. AURELIA
conduce a las ancianas. Las más jóvenes se mueven asistidas por ser-
viciales damas de compañía atavia-*

das con un esplendor comparable
al de sus señoras.

Junto a la figura del dragón echado, primero dos, luego cuatro mujeres, se enlazan en un baile litúr-
gico que primero se abre y se cierra con pausa en análogas figuras
enfrentadas y poco a poco se vuelve frenética y agita gradual y dese-
peradamente sus cuerpos hasta acer-
carlas a la misma extenuación. En
un momento preciso sólo persisten
dos en las ondulaciones aceleradas
de la danza órfica; y esas dos van
despojándose, como buscando liberar-
se segundo tras segundo de la fatiga
física, de las ropas, e imprimiendo
a los muslos y al vientre sacudimien-
tos y contracciones circulares y con-
vulsas, de espíritu y acento mági-
cos, al ritmo de la música que se
va haciendo al tiempo propio también circular y también convulsa,
gracias al sonido creciente de un tam-
boril, como la repetición incesante
de un solo golpe armónico acentuado.

Con ese ritmo repetido isócrona-
mente en sus tres compases percu-
tientes, que se agotan y se vuelven

*a iniciar en ataques de uno, dos, tres,
el coro de las mujeres oficiantes va
organizándose, primero hablado y
después casi cantado, extendiéndose
las voces en proporción inversa al
decrecimiento de los movimientos de
la danza, que al fin concluye en un
agotamiento orgiástico, casi en pleno
eretismo.)*

CORO DE LAS MUJERES

¡Madre nuestra!
¡Madre de Midas!
¡Madre de Baco!
¡Seas una u otra, una u otra, una y otra!
¡Madre nuestra! ¡Madre de Midas! ¡Madre de
[Baco!
¡Buena Diosa! ¡Buena Diosa! ¡Buena Diosa!
¡Ninfa Dríada! ¡Ninfa Dríada! ¡Ninfa Dríada!
¡Ninfa Dríada, casada con Fauno, que duras lo
[que dura el árbol a que te atas!
¡Ninfa que te atas! ¡Ninfa que te atas! ¡Ninfa
[que te atas!
Hasta la muerte del árbol, hasta la muerte del
[cuerpo.
¡Hasta la muerte de la vida a que te atas!
¡Átame como tú! ¡Átanos como tú! ¡Átalos
[como tú!
¡Átanos! ¡Átanos! ¡Átanos! ¡Átanos!
¡Ninfa Dríada! ¡Ninfa Dríada! ¡Ninfa Dríada!

(Pausa.)

La vida se acerca. La vida se separa.
Nacemos con las mareas. Morimos con las
                                    [mareas.
Nacemos con su crecimiento. Morimos con su
                                    [alejamiento.
Son dueñas. Somos de ellas. Son también nues-
                                    [tras.
Cada cosa se liga a la otra. Sólo que el ocaso
                            [hace falta a la luz.
Para que del contraste con la noche surja el día.
Para que del contraste con la noche surja el día.
Ahí está lo que buscamos. Cada día muere
y cada día renace. Guardémoslo infinito en su
                            [recomienzo siempre
cesado, en su cesación siempre
recomenzada.
En su cesación siempre recomenzada.
En su recomienzo siempre cesado.

(Pausa.)

De lo que se va se embellece lo que
llega.
Tráenos, tráenos, tráenos todo embellecido
por lo que sigue a la cesación.
El amante, el hijo, la muerte.
El amante, el hijo, la muerte.
El amante, el hijo, la muerte.

*(Las dos que bailaban se desplo-
man desvanecidas al cesar el* CORO.

*Sigue un silencio y otro rito. Una
especie de adoración silenciosa se
aviene al ritmo de la música, que
es ahora otra vez una tenue, sola,
lejana, rumorosa melodía.*

La última, misteriosa INVITADA
*aparece escondida en el grupo final
de los que han entrado en la sala.
Del grupo anterior se han apartado
para comentar la fiesta* ALBA *y* PLI-
NIA, *casi impúberes, pero con sus
cuerpos tan ceñidos en la cintura que
sus pechos pequeños y cónicos parecen ofrecerse, prontos a los espon-
sales.)*

ESCENA VI

ALBA, *atrayendo aparte a* PLINIA *por el brazo.*

¿Has visto el vestido de Mucia? ¡Parece la Ninfa Dríada más que la Ninfa Dríada! Es casi fea y ahora está
casi bonita desde que no se desprende de los brazos de
Mario. Ha disimulado el horrible lunar del cuello con
ese estuco de Oriente que ahora se ponen las de piel más
obscura.

PLINIA

No me gusta. Es aburrida.

ALBA, *que señala a la mujer de César.*

¿Qué busca Pompeya?

PLINIA

Pregúntale.

ALBA

No. Me tendría toda la noche más esclava de ella que sus esclavas. Trato de que no me vea. ¿Pero qué busca? Está intranquila.

PLINIA

Dice Julia que la fiesta de Pompeya es la mejor en muchos años.

ALBA

La gente vuelve a rodear a César.

PLINIA

Por ella, efectivamente, no vendría nadie.

Alba

¿Por qué no? Tiene majestad y aplomo, y es lo suficientemente desdeñosa como para que todos tiemblen por ver en honor a ellos un momento suspendido ese desdén. Siempre lo mismo. No hay más que humillantes y humillados. Es cuestión de tomar la delantera.

(La invitada *misteriosa, que pugna por pasar inadvertida, atisba a uno y otro lado, pero ya no puede disimularse en esa sala fastuosamente iluminada donde todas las mujeres están juntas. Se le ve intentar acercarse a* Pompeya, *llamar su atención; pero las miradas que recibe de algunas de las mujeres intermedias la inducen a desistir de su propósito y a moverse hacia uno de los lados de la sala, y justo hacia aquel donde está la vitrina con los objetos de Rodas. Con desconfianza, después de echar una mirada a una y otra parte, cruza la sala por el centro para cambiar de sitio, deslizándose por detrás de* Plinia *y* Alba. *Ambas notan, empero, el paso de la cantora, y la miran de reojo, volviendo un tanto la cabeza. Re-*

sulta evidente que LA INVITADA *trata todavía de ocultarse a las luces, a la espera del momento que la preocupa.*

POMPEYA, *que no se ha tranquilizado, cumple con su rito y va a sentarse en una de las sillas de* CÉSAR, *desde donde puede mirar la sala y a la gente sin ser notada. Ahora está sentada más o menos hacia la mitad de la sala, entre el lugar donde hablan* ALBA *y* PLINIA *y el lugar donde se aprieta la muchedumbre de mujeres.*

ALBA, *que la ve, se dirige a ella dejando a* PLINIA.)

ESCENA VII

ALBA

Algo te preocupa, Pompeya. ¿Puedo prestarte alguna ayuda?

POMPEYA

Gracias, Alba.

ALBA

¿Qué quieres que haga?

POMPEYA

Nada, Alba. Ándate con Plinia a ese lado (*indica el lugar donde está el dragón en simbólica postración*).

ALBA

¡Plinia! Acércate y reunámonos con los demás. (*En voz baja a Plinia.*) Algo pasa.

> (*Al pasar ante ella*, PLINIA *saluda a la mujer de* CÉSAR.
> *Las dos muchachas se dirigen al gran grupo de mujeres unidas por la melopea.*)

PLINIA, *refiriéndose a Pompeya.*

Está pálida.

ALBA

Hay algo que no se atreve a hacer.

> (*La misteriosa* INVITADA *ha errado mientras tanto por el ala opuesta de la sala y ha acabado por desaparecer de nuevo, sola, por la puer-*

ta del fondo. No tardará en reaparecer. Se la ve cautelosa y escurridiza, asustada como la paloma o cauta como la serpiente; pero a la vez apremiada por alguna urgente inquietud que pugna, sin decidirse aún, por escapar de la cautela y hacerse temeraria.

Pero ya el racimo de mujeres se ha desgajado, abriéndose y dispersándose alegremente en las diferentes direcciones de la sala. Ocupan las sillas, ríen, las ha abandonado la tensión, el eretismo mágico; se rehacen en grupos pequeños, hablan animadamente y un gran bullicio y confusión de mujeres llena el recinto, en ese fugaz intervalo del rito.

LA INVITADA se ha confundido con ellas y circula ahora entre las bellezas, escurriéndose ágil y sutilmente, hasta que cuando surge de entre cuatro jóvenes en mitad de la sala, se le acerca festiva una criada de AURELIA. Ésta le toma ambas manos, invitándola a dar unos pasos de baile en medio de gran algazara; pero al ver que la otra se resiste y no habla, le suelta las manos impaciente y la enrostra con cólera.)

ESCENA VIII

CRIADA DE AURELIA

¿Eres cantora o qué? Todo lo tienes, menos la gracia. ¿Qué te ocurre? ¿Qué puede hacer la Diosa contigo si muestras ese apagamiento?

LA INVITADA

Déjame. Espero a alguien.

> (*Su voz ligeramente ronca acaba de impacientar a la criada agresiva.*)

CRIADA DE AURELIA

¡Qué voz! ¡Nunca he oído voz igual en una mocita de Roma! ¿De dónde eres? ¿De Sicilia, de Dalmacia?

LA INVITADA, *retirándose hacia la zona de más sombra.*

No soy de Roma, ni de Sicilia, ni de Dalmacia. Déjame en paz.

CRIADA DE AURELIA, *sorprendida.*

¡Cómo, cómo!

LA INVITADA

¡Déjame en paz!

CRIADA DE AURELIA

¿Dejarte en paz? ¿A la más bonita? ¿Qué oigo? ¿Estás loca? ¡Vamos, despierta! ¿A quién esperas?

LA INVITADA, *retirándose aun más hacia la zona de penumbra que bordea la sala como un festón más obscuro.*

Espero a Abra, esclava de Pompeya.

CRIADA DE AURELIA

¡Qué voz! ¡Qué voz más extraña...! Ah, ¿ahora te ocultas? ¿Adónde vas? *(De golpe, como iluminada o acosada por la sospecha, echa a correr hacia la puerta de la sala que da a las habitaciones interiores.)* ¡Una lámpara...! ¡Una lámpara!

> *(Se inquietan las que la oyen, las que la ven salir despavorida, como una exhalación, más que aquellas que la ven de inmediato entrar con la lámpara en alto.*
>
> LA INVITADA, *confusa, no ha podido sino retirarse al lado extremo,*

donde estaba sentada POMPEYA, *a la que acaba de entrever, entre el cúmulo de mujeres, y a la que se dirige para hablarle, hacerle una seña o pedirle asistencia, cosas de las que hará la primera, porque a su vez la busca por todos los extremos la* CRIADA DE AURELIA *con la lámpara en alto y al fin vendrá a darle caza con la lámpara en la misma posición.*

LA INVITADA *ha conseguido, sin embargo, corriéndose a favor de la gran confusión de mujeres hacia el ala lateral de la sala donde está* POMPEYA, *aproximarse a ésta y hablarle, en tono precipitado y sumario.)*

LA INVITADA, *que habla ahora en una voz ronca apenas audible pero mucho más viril que su voz anterior.*

¡Pompeya!

ESCENA IX

POMPEYA, *en una interrogación mortal que compendia un gran reproche.*

¡Por qué!

LA INVITADA

Había que escalar la cresta más alta. ¿Creías que iba a renunciar a venir, renunciar a estar contigo, al fin, en tu casa? ¿Que iba a vacilar por este hatajo de locas? Ahora te he visto. Me había dicho iré y vine. ¡Mira cómo me buscan...! ¡Centenares de histéricas!

POMPEYA, *repitiendo su interrogación sin escuchar esas palabras.*

¿Por qué?

LA INVITADA

¡Aunque no fuera más que por este pedazo de instante!

POMPEYA

Algo se ha quebrado terriblemente. ¿Qué desgracia caerá sobre esta casa? Ayer vi un pañuelo blanco todo rojo y cuando lo recogí volvió a su color, pero después de haberme mostrado su anuncio.

LA INVITADA

¿Qué anuncio?

POMPEYA

Esta desgracia.

LA INVITADA

He venido.

POMPEYA

Debes irte ya mismo. Antes de que sea tarde.

LA INVITADA

¡Qué temor! ¿Podrías razonarlo justamente? Un Dios que no protege, es un Dios sin poder. Si la divinidad todo lo mira, ¿puede no amparar la causa del intrépido entusiasmo y del amor? Entre los hombres son los objetivos los que se confunden, y sobre ellos se escalonan los equívocos y los malentendidos, los odios, el crimen, la cólera; pero si los Dioses existen, ¿no están ahí para saber? ¿Cómo podrían ser engañados? Y no pudiendo ser engañados, todo lo que es amor debe serles objeto de protección porque, entre todo, es lo sublimemente entendible. Y el juego, ¿no es lo más cercano de la divinidad? Lo único no castigable ni sancionable es el soplo que pone en marcha el motivo. ¿Por qué, pues, ese temor?

POMPEYA

No se honra a los que se quiere bien exponiéndolos, sino salvándolos de toda exposición.

LA INVITADA

No se ama como un lechón triste sino como un animal que se arriesga.

POMPEYA

¡Ah! Riesgo que daña más allá de uno... Con que se daña a los otros. Aun a los que se pretende amar. Pobre cosa... Esta noche caerá sobre nosotros un espantoso rayo. Y no habrá sido dirigido a mí por la noche, sino por los Dioses gracias al conducto de tu mano. Casi todos matan con su crueldad, pero tú matas con tu gracia. ¡Ah insensatez de los irresponsables inocentes, que no calculan el poder mortífero de su risa!

LA INVITADA

Infierno de alboroto. Si no hubiera sido por esa puerca... ¡Vaca enteca cubierta de costras!

POMPEYA

¡Ya mismo!

LA INVITADA, *ocultándose detrás del cuerpo de una señora.*

No... Me divertiré.

esos gritos? ¿Ha sido el vino de la noche? ¿O —contesta pronto— es verdad lo que dices?

(Busca, con la vista inquietada, por toda la sala y por entre todos los cuerpos. Sus labios se desaprietan en la inquisición: "¿O es verdad lo que dices?")

CRIADA DE AURELIA, *desde la puerta del fondo, adonde ha corrido para echarse detrás de* LA INVITADA.

¡Es verdad! ¡Es verdad! ¡Ven con tus propios ojos a ver! ¡Hombre lo he visto debajo del traje de niña! Hombre, hombre. ¡Ven a ver con tus propios ojos!

AURELIA

¡Cierren! ¡Cierren esa puerta que da afuera! ¡Nadie salga y cierren la puerta!

(La masa de mujeres —menos algunas que se dirigen a cerrar— se arremolina hacia la puerta interior, gritando. POMPEYA *se ha levantado y se ha dirigido, como las otras, hacia adentro, sólo que más despacio, con andar regio y tranquilo. Todas las mujeres —y ella la última— desaparecen por la puerta del fondo; y la sala queda de nuevo vacía.*

Tras un instante AURELIA *aparece en el marco de la puerta como una cara de gárgola, la facies dura de disgusto y crítica fiereza. Mira, y ve que* LA INVITADA *no ha vuelto a la sala, y desaparece otra vez buscando lenta en las salas interiores. Sobreviene un momento de silencio. Al fin se oye un grito que parte del interior:* "¡Está en el cuarto de la esclava! ¡Está en el cuarto de* ABRA *y es un hombre!"*)

GRITOS

¡Fuera! ¡Fuera!

(Entonces, por la puerta del fondo, aparece el tropel, con LA INVITADA *corriendo adelante. Ya tiene el tocado descompuesto, la cabeza al aire; y se ve que es la cara de* CLODIO, *según gritan las mujeres en coro.)*

ESCENA XII

CORO DE MUJERES

¡Es Clodio!

AURELIA

¡Clodio! ¡Que se vaya y sea preso y sea condenado! ¡El primero que rompe el rito! ¡El primero que escupe en su rostro a la Diosa! ¡Que se vaya y sea condenado!

PLINIA

Le darán la pena de muerte.

MUCIA, *abstraída, inofensiva.*

¿Cómo se pueden castigar la impiedad y el sacrilegio no siendo con la pena más dura?

AURELIA

Estaba como un perro, encogido en el cuarto de la esclava. En el cuarto de la esclava después de haber ofendido a la Buena Diosa. Después de haber ofendido a Pompeya en la casa de César. Encogido como un perro en el cuarto de la esclava. [Hablo y veo sus ojos tristes, sus ojos cerrados, sus ojos de muerto.]

CORO DE MUJERES

¡Fuera! ¡Fuera!

AURELIA

Vino aquí a robar el favor de Pompeya como se roba un limón en el huerto prohibido... ¡Obtenga la sanción! ¡Obtenga la pena! ¡Obtenga primero el castigo terrestre!

CLODIO

¡Perras!

> (*Sale disparando, con su ropa de cantante en entero desorden, por la puerta exterior, que ha abierto con un golpe del cuerpo, violentándola entera.*
>
> POMPEYA *ha llegado última a la sala, detrás de todas las otras mujeres, callada y demudada.* AURELIA *se le acerca, vengativa y autoritaria hacia el desaparecido.*)

ESCENA XIII

AURELIA

Véte a tus habitaciones. Las ceremonias han cesado.

POMPEYA

Era Clodio... ¿Qué van a hacer con él?

*(Se oye una voz histérica de mujer
que grita al fondo, estridente.)*

VOZ DE MUJER

¡Buena Diosa! ¡Buena Diosa!

AURELIA

Mañana lo decidirán los tribunos. ¿Qué destino tiene
en el árbol la fruta agusanada? *(A las demás mujeres,
ordenándoselo.)* Váyase cada cual desde ahora. Esto será
contado. Por cada una y en cada casa. A cada hombre.
A cada marido. Y la satisfacción a la Divinidad vendrá
luego, si es que somos dignas de oficiarla una vez que
hemos tenido parte en esta noche de oprobio.

(Conduce a POMPEYA *hacia adentro y desaparece con ella, mientras
las mujeres, impresionadas, se van
preparando para irse.)*

Segundo Cuadro

Escena I

Mismo escenario del primer acto. Al día siguiente de los sucesos de la escena anterior.

Cayo Julio César *entra de la calle a la sala de recibo de su casa.*

César

¿Por qué voy a tolerar lo que es por definición intolerable y a prodigar mi tolerancia como si en mi caso se tratara de un árbol que expande y pierde las hojas que le sobreabundan? ¿Qué me sobra a mí que pueda repartir? ¿Qué le sobra a nadie, si lo propio de los hombres es pasar por esta vida mendigando lo que, separado de otros, venga a constituir lo que les falta? ¿Por qué voy a dar tolerancia, yo, que tiendo a no dividirme ni siquiera por las abundancias en que me prolongo? Ya he sentido en la calle el fuego con que, junto a una de esas fuentes por donde me dio por pasar, me rozaban. El atrevimiento no se enciende más que por el escándalo. Y esas mujeres cubiertas de inmundicia intentaban decirme al oído las habladurías que hoy corren por Roma como aceite hirviendo. ¡Gracias a Dios que logré taparme los oídos de modo tan experto que parecí ocultarme con la toga de los miasmas escapados de sus ropas contaminadas! No se atrevieron de ese modo, por espíritu de vergüenza, a seguirme hasta acá para que las oyera. Y fingí no oír. Pues una frase se dice y ya nada es como antes. De lo que se oye ya no se retrocede. Oculté mi cabeza y aquí estoy, virgen para esas mujeres de haberlas escuchado... aunque yo sepa mejor que ellas la letra de su canto. Que durante las fiestas de la Buena Diosa, Clodio entró aquí vestido de mujer... ¡Valiente piedra para arrojarla a que haga círculos concéntricos en la superficie de las lodosas aguas de la República! ¿Qué importancia tiene la verdad o la no verdad si lo que importa no es el contenido sino el continente de las cosas? Sólo el apetito incontinente, ladrón y transgresor del hombre descubre que la manzana está podrida cuando lo que nos ofrecía ese fruto hasta entonces a la vista era su poder, que está representado por su forma. Nada señala lo que algo es como su contorno discernible, pues ese contorno no sería feliz si no estuviera ordenado y regido desde su centro al que no sé por qué no llamarlo desde ya el fondo mismo. Las formas... De nada me sirve lo demás si no es uno con ellas. Y son lo único que no me disgrega. Nada me seduce como ver una rosa y hasta olerla sin que nada quede en ella de mí. Nada como ver una estatua de mujer sin que sus brazos —más bellos que los que aprisionan, pues a diferencia de éstos podemos verlos enteros— me retengan.

¡Cómo han inventado los hombres modos de destruirse! Pero la destrucción una y total, esa sí, es la sola que inviste nobleza. Y gracias a ella son tenidos por nobles, y son nobles, los que triunfan en la guerra, o sea los que consuman la aniquilación del hombre entero por el heroísmo. Pero son las otras formas de destruirse las ignominiosas. Aquellas en que un hombre pierde sus fragmentos, se divide, se aminora, se debilita, palidece y deja de ser ese todo que hace del hombre la cosa bella que es. ¿Por qué vienen a hablarme a mí —o pretenden hablarme— de una aventura de amor presuntamente traída a esta casa en medio de una no menos aventura de religión? ¡Puah! Todo aquello en donde dejamos pedazos de nosotros mismos me resulta igualmente oprobioso. O para no darle un calificativo moral sino un calificativo estético: abominable de fealdad. Pero como la tendencia es a no resistir —puesto que, ¿quiénes resisten sino los que de algún modo nacieron héroes?—, todas las maneras de debilidad, todos los recursos del hombre para no resistir son puestos en juego en experiencias a las que para despojarlas de su parte monstruosa se les da los nombres más venerables y los significados más atrayentes. Casi se les titula de fuerzas reivindicadoras, cuando no pasan de ser las formas donde se comprueba la debilidad que tiene el ser humano por hacerse débil después de haber sido fundado según las leyes fundamentales de la fuerza... ¡El amor! He ahí una de esas aventuras que bajo el título de sublimes esconden su terrible poder destructor. Escenario de suspirantes diálogos, en que el cuerpo mismo pierde el comando de sus humores y pone a la disposición de unos suspiros la administración entera de sus jugos. Parte de la existencia en que, por obra de deleites que dependen tanto de nuestra fantasía que sin ella languidecen y desaparecen, después de haber creído —para gozar— que gozábamos, nos subordinamos a las leyes de la amargura, que nos espera al comprobar que aquellos goces, si bien dependían de nosotros mismos, estaban embargados a los caprichos de otro en cuyo abrazo no sentíamos el olor cáustico del sudor que en la misma persona reconocemos después como intolerable debido al simple progreso de un proceso de frigidización de nuestra mente... ¿Qué fue para mí el lecho amatorio, más que un sitio adonde llegaba jurando y jurándome la necesidad de quedarme en la caricia eternamente, y una vez consumado el placer ya me juraba no poder permanecer allí un instante más? La forma más deliciosa de adormecerse y la forma más agria de despertar; algo que transforma la amistad en cólera y en odio; elemento de descomposición que se presenta con la languidez pudorosa del lirio y llama aroma de jazmín al vulnerable aliento de una boca humana. Deleznable episodio que distrae de la civilidad, embota al responsable, retiene al amante llamado por las armas, asegura complicidad al criminal y deja en todos, al desaparecer, el sufrimiento en el caso del recuerdo bueno, y la ira y el despecho en el caso del malo. Poste, en fin, en el que se deja una parte irreconstituible de la piel... ¡Y la religión! Dádiva entera de nuestra disponibilidad, cesión de todo lo que nos mantenía enteros, crédito abierto a la divinidad para el cual debemos empeñar el trabajo, los episodios y las más diferentes causas cotidianas, que de repente desaparecen para dejar su sitio a la causa única de nuestro pago de una cuenta cuyo cobro es astronómicamente probable o improbable... Luego está eso otro: ¡el juego! Nos despelleja sin los compromisos de los anteriores, pero de qué modo tanto más masivo, enérgico y sumario, puesto que en un día nos gana para la muerte o nos robustece para la vida hasta que al día siguiente, para enriquecernos aun más, vayamos a probar la siguiente emoción y acercarnos así más y más a la inevitable ley de nuestra pérdida. ¡Bah, bah! ¡Nada serían estos tres flagelos sin el cuarto! ¡La embriaguez! La embriaguez, que, aunque a título precario, en una misma persona substituye al necio por el ocurrente, al lloroso por el expansivo, al expansivo por el lloroso y al ocurrente descubierto por el necio cerrado. Substituto de la fantasía. Préstamo del delirio. Daga en que la ayuda se muestra más mortal para el que se la procura que el mal que va a matar con semejante procuración. Estimulante a veces del guerrero, pero que cobra el estímulo en temblor e imprecisión de la mano a la que dio coraje. Trampa que levanta sobre nuestra desesperación la idea de ser, no uno, sino todos en una especie de exaltación balbuciente del verbo en su genio anónimo e impersonal... Yo me pregunto: si a todo eso hubiera cedido algo de mí... *sinceramente*... ¿dónde estaría el hombre en quien me gusta estar despierto y sin cuya inmune totalidad no sería yo nada o sería como la sombra disponible del disponible Clodio? ¡Pero yo no soy el utilizable! Nada de mí puede ser utilizado por otra fuerza que la que yo incline al gobierno, con-

quista o poder sobre los utilizables. Las naturalezas como
yo se sirven de los caballeros destructores y por eso co-
nocen demasiado bien a esos jinetes de la desintegración
que sólo sobre nosotros no pueden ejercer su influencia
seudodeliciosa. Pero, ¿qué mayor deleite que ver rodar,
mientras nos mantenemos de pie, el cuerpo de los delei-
tados, hecho ya pulpa distribuible a nuestro supremo
arbitrio, y materia en que nosotros, sin amor, religión,
juego o embriaguez iremos a decidir con la cabeza do-
minante el uso que haremos de su voluntad y de su
destino? ¿Clodio aquí? ¡Cuánto me hace reír la estupi-
dez humana! ¡La imprevisión! ¡El cortejo humano de
errores arrastrado hasta los dedos de mis pies por el arroyo de la historia! Y el error que, estimulado por el pa-
pirotazo que le daré, seguirá corriendo en el inapiadable
caudal de ese arroyo, cuyo arrastre, por su persistencia,
parecería ser el de una especie menor, ya que ninguna
lección aprende desde que aprendió a encender el fuego... ¡Clodio! Yo estoy por encima de su destino puesto que lo abarco y decido desde mi inteligencia. (Gritando hacia las habitaciones interiores.) ¡Centurión! ¡Centurión! (El centurión aparece con su aire hierático de
capitán, bajo el arco de la puerta.) Centurión, Tulio: pre-
para lo necesario para que yo pueda repudiar a Pompeya; el fastidioso trámite de la fastidiosa resolución. Lo
guardarás en silencio hasta el momento oportuno. Y no
te equivoques, como ese pueblo imbécil, sobre las causas.
¿Pues qué causa de repudio puede compararse con la
de no permitirme ser yo mismo? Te conozco y sé que
obedeces con justeza. Prepáralo todo, pues, lo que quepa

hacer desde aquí adentro. Y tú, amigo de arúspices, de pillos, de señores, de tahúres, de patricios, de poetas, de cantores y de meretrices, ruega, por favor, a tu cáfila de dioses, que agreguen a mi persona todas las hojas que quieran. Si es posible de laurel como hasta ahora, pues no sólo huelen a eternidad sino que —lo cual es tanto más útil— me sirven para ocultar la calva... ¡Pero que no arranquen ni un solo gajo de mi tronco, a fin de que ninguna parte de mí se desprenda de lo que soy y caiga confundida con lo que desdeño!

TELÓN

CUARTA PARTE

INTERMEDIO

Después del intervalo del segundo acto, una vez que el público de la sala haya tomado asiento, se oirán detrás del telón aún bajo, en forma súbita —mediante la ampliación necesaria de las voces por el procedimiento que corresponda— las palabras que el PRIMER ACTOR *dirige a su elenco, incitándolo o instruyéndolo de prisa para el tercer acto. Esas palabras serán precedidas, en forma de protesta, por las de un* ACTOR IRRECONOCIBLE. *El discurso del* PRIMER ACTOR *tendrá un aire rápido y concitante como corresponde a una recomendación de emergencia, hecha en forma muy urgente antes del inminentísimo comienzo del tercer acto.*

VOZ DE UN ACTOR IRRECONOCIBLE

Usted nunca está conforme...

VOZ DEL PRIMER ACTOR

¡No, no estoy conforme! ¡No estoy conforme de ningún modo! Ni con el tono ni con el vuelo ni con el ritmo. ¿Cómo voy a estar conforme? Esta obra requiere

—¿cuántas veces se los he dicho?— algo distinto: un movimiento tenso e intenso de cabalgata o de galope, un tono acentuado y señalado, nunca ese desmayo, esa tersura, esa delicadeza, en que ustedes todos parecen complacerse... ¡No, no estoy conforme! ¡Y espero de este acto una recapitulación o nada! ¿Saben lo que es el ánimo que crea? Un ímpetu que avanza como una carga. ¿Quién ha hablado aquí alguna vez de temor? En nuestros ensayos, o por los camarines, más de una vez creo haberlo erróneamente oído... Hay que cerrar los ojos y cargar; inmediatamente oirá el espíritu del actor no vacilante la caída del fruto que su carga habrá removido: aplauso o repudio, que cerrarán también como una carga. Pero sin ese encendimiento irrefrenado, ¿de qué talento o gusto o eficacia se va a hablar? Hagan ustedes lo que puedan; yo hago lo mío. Han actuado débilmente: es tarde ya, tal vez, para modificarse. Pero el artista es un guerrero, y sin corazón no se gana una batalla. Héroes y estatuas: esos son los nombres que definen por igual nuestra vocación y la de los soldados. Y como ellos y con ellos tenemos muchas veces hambre, sed, desilusión... y temor, sí, tal vez tengan razón... alguna vez temor, desesperanza, pero también, la vez debida, ese coraje solitario —instantáneo, único, impulsivo— sin el cual el corazón vive de muerte... Cuando era chico y veía volar un pájaro pensaba yo cuánta era su ventaja sobre mí: decidí ser actor porque conducir palabras que conducen es el modo de vuelo más rápido de la inteligencia, siendo la inteligencia más veloz que el pájaro mismo o cualquiera otra forma animal de vuelo independiente. Yo no les digo más, no les puedo decir más. Pero esta noche es importante y esta noche reclama el mayor esfuerzo... ¿cómo llamarlo?... *crítico*. Les pido mayor acento, mayor acento aun, ¡siempre más!: fuerza y poder y rapidez, algo que tenga celeridad y más celeridad, porque la eficacia empieza en una rapidez implacable capaz de sostenerse redobladamente. No dejen caer el tono, la voz, el arrebato — justo. Yo sé que, con una obra, no siempre estarán consubstanciados; pero lo propio del actor ¿qué es sino parecer comprender más lo que no siempre comprende, lo que alguna vez no acepta, lo que en ocasiones no comparte? Servimos a la pasión más sublimemente que nadie, porque hecha en nosotros carne la mostramos elevándonos a ella nosotros mismos, así como la Pietà tiene en sus faldas el Despojo, más elocuente que la elocuencia... Muestren, pues, en ustedes lo que no siendo ustedes es más ustedes porque, al parecer despersonalizarlos, mil veces los personaliza... Hemos alzado juntos, en estos dos actos, la construcción común de unos seres y una época, pero esos seres y esa época son actuales en nosotros, tan actuales como nosotros mismos, más quizás, porque permanecerán más que nosotros y serán actuales cuando nosotros seamos ya pasado, el actor que pasó... Señalen cómo, en un hombre, aparece y escapa la grandeza; en una mujer la virtud; en diferentes hombres, la verdad. Pero por Dios: ¡con ánimo!

VOZ DEL ACTOR IRRECONOCIBLE

Yo creo que lo hemos hecho bien.

Voz del primer actor

¿Bien? ¡Bien...! No conozco palabra más superable, porque su pariente más próximo se llama "mejor"... aun cuando tiene otro menos próximo que se llama "peor". Pero de lo que se trata, compañeros, es de conseguir el más cercano más allá... Acuérdense de lo que esta noche nos guía. Cuántas veces hemos hablado de ello menos velozmente que ahora: sin sentido de la inmortalidad del alma, *todo está permitido.* Yo discrepo con el autor no por esa línea conductora, prestada de los Karamazov, sino porque un alma se inmortaliza por su infinita superación del poder visible, y he aquí que este autor nos trae sin más ni más a un malicioso y un poderoso... Hubiera preferido, no una ilustración por contraste, sino el retrato del resplandor natural que a un alma humilde lleva el majestuoso apetito de inmortalidad. Pero aquí estamos ante César y César buscaba otra inmortalidad, más vistosa, mucho más dudosa. Sin embargo, la justicia surge naturalmente de la prueba natural. Y esto es lo que yo les pido, para este acto, el servicio de cada carácter y de todos: la verdad más encendida en cada uno de ustedes. Pero ya es la hora. ¡El telón! *(Interrumpiéndose:)* ¡Ah, un instante! Un instante. Olvidaba algo. A usted, querida amiga, que ha hecho una Aurelia digna, inteligente, cuánto le agradezco su esfuerzo, la triste superación voluntaria del luto que la ocupa, que la destruye. ¡Cuánto le agradezco su ayuda! Por el fondo de su voz la recorría su propio, personal dolor. Y eso le daba

una autoridad, un eco, un acento, que yo quisiera ver
siempre en las trágicas de estas tablas... Gracias.

> (Se oirán los pasos de los actores
> al retirarse hacia el interior del es-
> cenario.
>
> Luego se percibirá, muy lenta y
> pensativa, la voz del PRIMER ACTOR,
> que, al quedarse solo y antes de dar
> la orden final de que se levante el
> telón, habla consigo mismo.)

PRIMER ACTOR, *con entonación grave y cansada.*

¿Qué les he dicho? ¿Qué es todo? Esta noche, esta
escena, esta literatura... ¿Qué es este momento, este teatro, este mundo...? Yo que hubiera sido capaz de todo
con tal de *hacer*, me consumo vestido de palabras. ¿Pero
qué sentido tiene todo: esta noche, este teatro lleno de
frases, el lenguaje, la voz, el verbo humano...? Siendo
lo que soy —hombre común, actor común— ¿cómo puedo ser, por sólo un instante intenso, lo que no soy? Y
sin embargo, lo soy. La voz me convencería si me dejara convencer. Bastaría con hablarse uno así durante
toda una vida para transmutarse, y ser lo que uno se
dice a sí mismo ser... La voz es el único milagro que
hace, de lo aparente, verdad: uno que se engañara siempre, acabaría por creerse. Esta noche soy lo que digo
porque todo mi cuerpo habla en lo que digo, aunque lo
que digo no sea yo... ¡Cuánto quisiera creer en lugar
de repetir! ¿Qué haría el César que soy con mis proble-

mas, siendo que yo sé hacer tan bien con los suyos? Yo que engaño a diario a estos compañeros con un entusiasmo fértil, ¿los engaño respecto de mí? La verdad, la verdad que ignoran, es que mi enfermedad es no ser nada, sólo la sombra de una vocación, de una aspiración, de una acción repetida noche a noche, y ni siquiera eso, porque cuanto más soy, menos el otro soy. Ni César, ni Harpagón, ni Orestes... sino a costa de mi asesinato. Una nada entre dos actos... el largo acto de mi silencio entre los efectos y afectos de un no yo... Pero ¿qué será y dónde estará en mí lo no repetible, lo siempre íntimo, siempre genial, siempre original que hay en cualquier hombre que sabe descifrar, no el de los otros, sino su propio, común, íntimo sueño? Actor, actor, actor. Espectador de espectadores. Oyente de mí mismo trocado en un no ser que se supera, brilla, arriba a ser eminentemente el otro. Testigo de mi personaje, pero no testigo de mí mismo. Y cuando debo definirme, debo recurrir aun a alguna frase alguna vez aprendida y repetida, de algún otro: "Cazador de sombras, sombra él mismo." *(Transición.)*

¿Y Blasco? ¿Dónde estará? Es como la conciencia del mundo. La conciencia del mundo... Un inocente, fatigado. *(Más vivo.)* En fin, basta. Vuelvo a ser ese para quien el alma no conocía otro sentido fuera de sí misma, y que ese demencial y quimérico sí misma iba, después, a engrandecerla, pero también encerrarla, acosarla y exterminarla. ¡Telón!

(Se oirán sus palmadas y se levantará lentamente la cortina.)

ACTO TERCERO

ESCENA I

Foro romano, en pleno día. Un débil sol anuncia el principio de una tarde apacible. El público —que los actores aficionados han representado en breve número— vaga por la plaza esperando el momento del juicio. Gran cantidad de individuos, pueblo bajo, ocioso y desharrapado ha ido reuniéndose lentamente en el vasto espacio dejado libre entre las paredes de las dos basílicas enfrentadas. Todos aguardan la función con tedio, cambiando conjeturas sobre el proceso sólo para estimularse y mantenerse allí. En realidad, les importa menos la causa que la oportunidad de exaltarse, divertirse y manifestarse. En el juicio a CLODIO se va a abrir la segunda fase. Entre la primera y la segunda, CRESO ha estado muy activo, sobornando voluntades mediante oblaciones en pecunio y dádivas sensuales de toda especie. La ciudad se ha escandalizado y divertido. La ciudadanía, como en todas partes, se divide entre los preocupados y callados y los entusiastas e inmorales.

A la izquierda, en primer plano, puesta allí igual que un signo miserable entre las basílicas, una mujer astrosa y harapienta vende higos.

CIUDADANO SEGUNDO

¿Que ya veré...? ¿Pretendes que el discurso de Cicerón en la audiencia de ayer ha convencido a los jueces? (*Ríe sardónico.*) ¡Una pestilente pira de palabras...! Nadie lo escuchaba y todo el mundo hablaba.

CIUDADANO PRIMERO

Verás hoy.

CIUDADANO SEGUNDO

Suerte que el tribunal haya convocado aquí y no en la basílica como de costumbre, porque no cabía la gente y se estaba mal.

CIUDADANO PRIMERO

Peor para tu favorito.

CIUDADANO SEGUNDO

Por mi cabeza que no se atreverán a tocar a Publio Clodio.

> (*La mujer que vende higos estalla en una carcajada estridente. Los dos* CIUDADANOS *que hablaban se*

*vuelven para ver si se reía de ellos;
pero la mujer vuelve, sin mirar a los
hombres, la atención a sus higos,
aventando con la mano el ataque de
los insectos, apeñuscados sobre la
fruta como el público sobre el mosaico.)*

CIUDADANO PRIMERO

Díme, ¿tú te quedarás hasta que empiece?

CIUDADANO SEGUNDO

Claro que me quedaré.

CIUDADANO PRIMERO

¿Querrías entonces ejercer tu bondad avisándome en aquella tienda que se ve allá al final cuando esto vaya a dar comienzo? Yo me ocuparé hasta entonces de mis cosas.

CIUDADANO SEGUNDO

¡Ajá! ¿Que yo te sirva aquí de doméstico? No, querido amigo; encárgaselo a otro. En unos instantes más iré a colocarme a la sombra y en un lugar de privilegio. ¿Para qué crees que he venido temprano?

CIUDADANO PRIMERO

Adiós, entonces. Y... gracias.

CIUDADANO SEGUNDO

Guárdatelas donde te quepan.

> *(Los dos CIUDADANOS se separan.
> El primero parte hacia la izquierda;
> el otro remonta despacio la plaza
> hacia el fondo, atravesando por en-
> tre las columnas y los asientos que
> ocuparán los senadores, los jueces y
> el pretor, en su silla curul, acom-
> pañado de sus ministros y escriba-
> nos y debajo de la lanza y la es-
> pada.
> Al fin, anunciados según la cos-
> tumbre, cambiando saludos aquí y
> allá con el público, semejantes a pu-
> gilistas que aparecen en un estadio,
> van llegando los miembros del tri-
> bunal. Senadores, caballeros y tribu-
> nos, envueltos en sus togas, empie-
> zan a tomar asiento en los lugares
> que se les destinan, en medio de la
> asamblea popular, que a su vez ha
> ocupado sus posiciones en un sector*

extremo, a la derecha y al final de la escena, bajo los muros de la basílica opuesta, y en cuya asamblea se van acumulando gradualmente ciudadanos, libertos, adolescentes de ambos sexos y algunos niños.

El vocerío, las exclamaciones y las carcajadas, el desorden inmenso y general, señalan la presencia activa de la muchedumbre, un obscuro poderío oceánico, terrible, ruidosamente acusado.

Al aparecer CLODIO *un fabuloso griterío lo saluda desde las filas populares. Luego aparece* CAYO JULIO CÉSAR, *citado como testigo. Y el pálido* CICERÓN *está allí, sentado en frente, con sus dedos impacientes también de expresarse tableteando sobre los brazos de la silla que ocupa. ¿Quién falta? Todos aquellos rezagados que llegan por los distintos lados de la plaza, con sus túnicas colgantes y sus sandalias polvorientas acusando una larga marcha, lentos todavía en elegir los lugares donde ubicarse, en medio de la multitud ante la que el juicio va a empezar.*

Los aficionados han ideado inteligentemente la escena. El tribunal

queda en el primer plano extendién-
dose íntegro hacia el centro de la
sala; y al fondo, formando semicírcu-
lo, a los bordes, queda la muchedum-
bre, como un festón medialunar de
expectativa crítica frente al que se
va peligrosamente a actuar.

El más importante de los jueces
se incorpora al fin. Y eleva su voz,
en el foro, al comienzo de la tarde
mansa.)

ESCENA II

PRESIDENTE DEL TRIBUNAL

En nombre de la República, con el auspicio del Senado, ante el pueblo romano, abro la causa por sacrilegio contra Publio Apio Clodio. *(Dirigiéndose al fiscal.)* Tiene la palabra la acusación pública.

LA MULTITUD

¡Eh! ¡Eh! ¡Eh! ¡Eh!

ACUSADOR

He aquí a un hombre *(señala a Clodio)*. Pido que sea mirado. Es Publio Apio Clodio. *(La multitud repite en coro: ¡Eh! ¡Eh! ¡Eh! ¡Eh!)* Patricio del linaje de Roma, de la familia Claudia, combatiente en Asia y cuñado de Lúculo. He ahí un nombre y he aquí un hombre. ¿Pero cuál es el atributo humano por excelencia? ¿Un nombre, una figura física—*esa, miradla*—: una juventud, una belleza, una apostura y una elegancia? No. No somos humanos sino por delegación de la divinidad y no nos perpetuamos sino por su graciosa y misericordiosa anuencia. He aquí que este hombre ha renunciado voluntaria y conscientemente a sus atributos: desligado de la fuente divina, roto su lazo original, hoy es como la barca suelta que rompió su cabo y no existe como barca sino como disposición y discreción de la providencia. Basta el ejercicio de una voluntad ajena a ella para que perdure como barca o pronto se rompa hecha sólo restos, en la plenitud de un agua adversa. *(Dejando de mirar a Clodio y volviéndose hacia los jueces.)* Una ley ha sido necesaria para que vengamos aquí a juzgar a este hombre cuya condición se asemeja a la de esa barca. ¿Qué delito había cometido este miembro de la familia Claudia? Ya lo habéis oído ayer mismo. Durante las sagradas ceremonias de la Buena Diosa en casa de Cayo Julio César, pretor de la República, fiestas reservadas a las solas mujeres, este hombre irrumpió en esa pureza, aniquilándola de hecho y agraviándola de facto. Una consulta fue hecha por el Senado al Colegio de Pontífices para saber en qué medida y forma existía sacrilegio. La respuesta ha sido dada: existe, y en su plena gravedad. Lesionando y profanando casa sagrada, Clodio ha escarnecido e insultado a los Dioses; pero también a la República. Su delito prueba no sólo la degradación y perversión de una

naturaleza individual, sino un estado genérico de decadencia, que por desgracia tanto ha cundido y pesa en el
seno de Roma. Este delito no es sólo grave por su
forma, es aborrecible por su fondo e ignominioso por
su causa: porque a la casa de César, al cometer sacrilegio tan ligera y culpablemente, fue Clodio con el ánimo
de entenderse con la mujer ajena, y así al sacrilegio y al
escarnio se juntó la última de las villanías y miserias.
Pero no es esto lo que juzgamos, porque juzgamos lo
peor; y lo peor fue el ominoso sacrilegio. Este tribunal
y su procedimiento fundador obedecen al pedido primitivo que se hizo a Publio Pisón y Valerio Messala para
determinarlos. Y he aquí que estamos ante Clodio para
exigirle el pago de una pena que debe a las mujeres
virtuosas que adoraban en casa de César a la Buena Diosa,
que debe a la divinidad y que debe a la República.

UNA VOZ

¡No!

ACUSADOR

Recojo ese no. Mi función es analizarlo y mi propósito
es triturarlo. Venga y baje quien lo ha dicho, a fin de
sostenerlo. (*Largo silencio en que nadie chista y nadie
baja.*) Poco importa: lo recojo anónimo en su pura procura de negación. Pero ese *no*, niega un acto. Y una voz,
¿puede anular una acción cometida, revolverla en sus
efectos, retrotraerla a su estado anterior y hacerla no

acción? Nadie dice ahora no y sin embargo es no. No, romanos, no se borra una acción: toda acción resurge de sí misma como efecto. Y el efecto de la acción de ese hombre que vulnera y transgrede la ley humana de una casa y la práctica divina que allí se ejercitaba, que insulta la piedad y comete befa contra las mujeres allí clausuradas, queda indeleble y es la deliberación justa de su pena lo que en este foro nos convoca.

UN TRIBUNO DE LA PLEBE

Óyeme, acusador...

ACUSADOR

No es el momento. Pregunto: si alguna de las mujeres de los que están aquí presentes, hombres del Senado, hombres del tribunado, hombres del pueblo, hubiera sido así atacada en la hora de un piadoso ejercicio, ¿quién de ustedes hubiera dominado la propia indignación, el sentimiento primo y último de justicia? De ustedes, nadie prendería fuego a las ropas de una orante. ¿Qué merece más piedad que la piedad? Diga que no, si se atreve, el negador de antes... No, no se atreve. Tampoco Publio Clodio diría que no. Y sin embargo, él dijo que no la noche de su delito, ¡y no por su boca sino por el acto! ¡Por eso estamos aquí para juzgarlo! Impiedad y sacrilegio. He aquí, en dos términos, una sola y tremenda culpa. He aquí por qué pido la sentencia más severa contra quien entró como un viento de mal y desvergüenza en la noche de las fiestas de la Buena Diosa en casa de César. Todas las que estaban allí vieron a Clodio, en su acto y en su persona. Yo soy quien debe acusarlo y yo lo acuso.

QUINTO FUFIO CALENO, *que eleva su voz despacio en el silencio.*

Yo pido hablar.

PRESIDENTE DEL TRIBUNAL

La palabra es del tribuno del pueblo.

ACUSADOR

No he concluido. Me toca proseguir.

QUINTO FUFIO CALENO

Esa prosecución no será justa antes de haberme oído.

PRESIDENTE DEL TRIBUNAL

La palabra es del tribuno del pueblo.

LA MULTITUD

¡Eh! ¡Eh! ¡Eh! ¡Eh!

Quinto Fufio Caleno

Esta asamblea sin ejemplo no es consecuencia de una culpa individual, es consecuencia de un acto político: a él quiero referirme. (*Dirigiéndose al sector del público donde acaba de oírse llorar a un niño.*) Aquel niño que llora no lo hace inoportunamente. Yo también, como el acusador, apelo a los juicios emitidos por la justicia misma, que es ese pueblo romano ahí convocado. Paciente pueblo romano: no soy un calificador, sino un aclarador. Aclaro que un llanto es más justo que tantos vanos discursos, en esta causa, porque estuvimos en peligro de acusar a un hombre bajo una ley tiránica creada para él y contra él por una clase a la que pertenecía y de la que quería desprendérsele por haber sido él mismo naturaleza libre y justa, y porque si gracias a los Dioses esa ley no se hizo, otra la substituyó pero aun injusta. Una ley especial, y este tribunal, quisieron hacerse porque no había sanción prevista para este crimen. Lo cual indica que el crimen no existía.

La multitud

¡Eh! ¡Eh! ¡Eh! ¡Eh!

Acusador

¡Sofisma! ¡Niego la petición de principio!

Quinto Fufio Caleno

El crimen no existía por más que lo diga el Colegio de Pontífices. Este hombre *(señala a Clodio)* conserva su forma inocente porque no hay delito en su acto, si es que ese acto existió, lo que tampoco consta.

Acusador

¡Sí consta!

Quinto Fufio Caleno

Lo que tampoco consta. Por una vez, o por una vez más —no es ésa mi causa— el "hasta cuándo, Catilina" de nuestro compatriota Cicerón que miro ahí, tuvo virtud de verdad resplandeciente: porque hasta aquí aún dura Catilina, o duran sus inadivinables consecuencias. Todavía está fresca, en efecto, la indignación despertada por la condena sin ley de aquellos conjurados miserandos. Y otra ilegalidad quiere ya consumarse con otro procedimiento en igual grado injusto y en igual grado indignante... Yo llamo, oh jueces, vuestra atención sobre esta odiosa reincidencia.

> *(Se oyen voces confusas de protesta, esta vez entre los senadores y los tribunos y en las largas hileras de caballeros, de este lado del foro.)*

VOCES DEL FORO

¿Es acaso todo eso procedente? ¡Demagogia jurídica....! ¡Basta! ¡Basta!

QUINTO FUFIO CALENO

Quisiera contar una historia con el permiso de todos.

> (*El* ACUSADOR *protesta con signos de la cabeza y de las manos.*)

ACUSADOR

No. No. No.

QUINTO FUFIO CALENO

Es divertida, y en esta tarde tan soleada y serena se me agradecerá que la relate. ¡Hum! ¿Cómo podré no hacerla larga? Soy mal narrador y pido excusas. Pero había en mi pueblo un pescador que de tanto excusarse antes de dar una opinión quedaba sin interlocutores cuando iba llegando mísero a decirla; y no quiero que me pase con mi historia lo que al pescador de mi pueblo, por lo que marcho adelante sin exponerme a perderos antes de contarla. Como toda historia atrayente para las naturalezas viriles, esta historia ha de comenzar con una mujer. Esa mujer, pues, tiene un jardín a orillas del Tíber, pero, conciudadanos, no es un jardín como cualquier otro. Jóvenes desnudos de gran belleza se bañan en el río, y de tarde ese paisaje tiene algo de idílico, con sus prados frescos y sus cuerpos jóvenes tendidos. Nada iguala sin embargo, y sin duda, a la belleza de su dueña. Y no es raro que cuando aparezca un hombre en esta historia —y aparece ya, helo aquí—, ese hombre esté enamorado de esa mujer. Más que enamorado: obedece a todo género de dictados de esa belleza. ¿Queréis los nombres?

La muchedumbre

¡Sí! ¡Sí!

Quinto Fufio Caleno

Ella es la mujer de Quinto Metelo Céler y él es... ¡Marco Tulio Cicerón!

(Risas en el público.)

Quinto Fufio Caleno

Ella es la mujer de Céler y él es Cicerón.

Cicerón

Cállate, puerco embustero.

Quinto Fufio Caleno

Y él es Cicerón. Pero la mujer de Céler no es sólo la mujer de Céler. Sino la hermana de Clodio. Y es tanto y tan ciego el amor que le tiene Cicerón, y tanto el fervor con que está dispuesto a servir a esa beldad que se baña desnuda en las aguas del Tíber, que la honesta y pudorosa Terencia, mujer de Marco Tulio, se alarma, descompone y pone el grito en el cielo... "Ah, piensa ella, mi virtuoso marido al fin va a perder la virtud en manos delictuosas, y por obtener los favores de la mujer de Céler, va a vender su apoyo a Clodio apoyándolo en su causa..." Eso es lo que piensa la mujer de Marco Tulio, y emplazándolo y acusándolo, levantando el fantasma del escándalo, descargándole su furia, lo obliga a amparar y propiciar la injusta ley judicial hecha ex profeso contra Clodio... Ah, romanos; tal es la historia que se cobija bajo las apariencias públicas de la rectitud y la naturalidad. Pido, pues, al Senado, a los jueces, al pueblo romano que me oye, que todo esto sea tenido en cuenta para valorar la clase de presiones, y el calibre de los pasos ilegítimos, con que se quiere hacer inclinar el platillo de la balanza en contra de Publio Apio Clodio...

Acusador

¡Protesto, jueces! ¡Protesto, tribunos y público! ¡Protesto, gentes de Roma, contra este planteo bajo e inicuo!

No estamos aquí ante una anécdota o un juego de anécdotas, sino ante un crimen específico de sacrilegio. ¡Ese delito pesa, señores, puesto en el platillo de la balanza, pesa como una libra concreta y no con el vano bulto ingrávido de una calumnia aberrante!

PRESIDENTE DEL TRIBUNAL, *áspero y riguroso.*

El tribunal de los jueces de Roma tiene el espíritu sereno y su convicción es inconmovible. Escuchará sin ser influido sino por la prueba sensible que se añada a la acusación transparente. El tribunal de jueces romanos está ante un delito de sacrilegio y el acusado es Publio Clodio. A un delito material corresponde una prueba material. Tenemos el testimonio equivalente a la prueba material de la presencia de Clodio en la casa de César la noche de las ceremonias del rito. Ninguna futesa conmoverá la severidad de esta magistratura.

(Se oye un silbido, a lo lejos.)

CICERÓN, *levantándose.*

Me corresponde la palabra.

CLODIO, *levantándose igualmente, pero sin cólera sino sonriendo con una cáustica cortesía.*

No. No. A mí es a quien toca hablar. Perdóname, Marco Tulio; pero la adversidad me adjudica esta preferencia. Yo soy a quien se acusa. Otra vez te cederé este sitio... ahora es mío y no me cabe transferirlo.

(Gritos de "¡Bien, bien bien!")

CLODIO

Piden los jueces una prueba concreta y voy a dársela en mi favor. ¿Cuál es la acusación? Se pretende que me filtré en casa de César durante las ceremonias de la Buena Diosa, turbando la piedad de las mujeres y afrontando a la divinidad. Es un cargo grande; pero mi prueba de descargo también es grande. Yo no entré esa noche, señores, en casa de César... *(Expectación)*. No entré y no pude entrar por la sencilla razón de que esa noche no estaba siquiera en Roma...

(Un clamor cerrado de aplauso y sorpresa se levanta de las filas del pueblo. Gritos de "¡Hué! ¡Hué! ¡Hué!" Silbidos y risas.)

PRESIDENTE DEL TRIBUNAL, *con autoridad y con exigencia.*

¿Dónde estabas entonces?

CLODIO

Fuera. En un sitio de la campiña romana, pero tan lejos de aquí que no hubiera podido llegar ni esa noche ni al día siguiente. A otro hombre se le confunde conmigo y es a él, en todo caso, a quien hay que buscar.

ACUSADOR

¡Eso es falso! Un centenar de mujeres te vieron y reconocieron esa noche. Un centenar de mujeres fidedignas, damas romanas, mujeres virtuosas... *(vacila)* las cuales por delegación han declarado ayer ante este tribunal. Y las cien, una por una, podrían venir hoy, llamadas a discreción, a desmentir este engaño que ahora, ante todos, se fragua cínicamente...

CLODIO

Yo no estaba en Roma esa noche. Puedo afirmarlo. Y de nada valen testimonios visuales, en los que la confusión cabe como no cabe en mi prueba. Yo carezco de prisa, de pasión o de apremio. La acusación recae sobre mi cuerpo, pero ese cuerpo no estaba allí aquella noche o no era el mío por lo menos...

ACUSADOR

¡César repudió a su mujer, Pompeya, después de lo ocurrido aquella noche!

CLODIO, *cínico.*

¿Y qué hay con eso?

ACUSADOR

¡Pido el testimonio del testigo Cayo Julio César!

CICERÓN, *tranquilo.*

¿Puedo hablar al fin?

PRESIDENTE DEL TRIBUNAL

Antes he de decir algo, Marco Tulio. (*Dirigiéndose a
Clodio.*) Publio Clodio, a ti me dirijo. Un engaño, una
treta, no conmoverá a este tribunal; antes bien agravará
aun tu delito. Te llamo a tiempo a una rectificación de ti
mismo en la medida en que no hayas sido veraz.

CLODIO

He sido veraz. No estaba en Roma.

PRESIDENTE DEL TRIBUNAL

Habla, Cicerón.

CICERÓN

Tres horas antes del sacrilegio, la noche del sacrilegio
vino Publio Clodio a verme en mi casa.

CLODIO, *por primera vez descompuesto.*

¡Falso! ¡Falso!

ESCENA III

(Se produce en el foro de extremo a extremo una gran confusión. La gente se agita y se oyen clamores, amenazas y gritos. El tumulto es tan grande que los jueces deben suspender por unos instantes la audiencia.

En la parte principal del foro, entre los jueces, los senadores y los tribunos cunde la exaltación, se establecen preguntas, disputas y diálogos; y se ve a JULIO CÉSAR, que ocupa un asiento vecino al de su amigo MARCO LICINIO VISA, tranquilo y sonriente en su silla. Los jueces hablan entre sí; CICERÓN responde a las preguntas de sus amigos, mientras CLODIO recibe los argumentos de respaldo y consejo de CALENO. Un rumor incesante se levanta entre la muchedumbre asistente. Algunas personas se han movido de su sitio y vienen a circular

*por la plaza, a despecho de los guar-
dias, curioseando, informándose u
opinando, con ardor y vehemencia.)*

CÉSAR, *a Licinio Visa.*

Está en mis manos, Visa.

MARCO LICINIO VISA

Lo creo.

CÉSAR

Pero no se acaba con el necio cuando no conviene acabar con el necio...

MARCO LICINIO VISA

¿Qué quieres decir?

CÉSAR, *señalándole el pueblo allá enfrente.*

¿Ves a aquéllos? Deberé ser de ellos antes de que ellos
sean míos. Pero a su vez, ellos deben creer que son míos.
El perro muerde donde huele debilidad. Y yo les probaré
esta misma tarde, a ellos y a Clodio, que están en mi
poder y que juego con ellos a mi capricho aunque no
vean mi juego... Y unos y otro me servirán por lo que
yo haga hoy y según lo haga. A ellos y a mí debo
probarlo.

Marco Licinio Visa

Pero ¿cómo, César?

César

Todo está preparado. ¿Me has visto alguna vez preparar mal algún combate o entrar en el campo antes de haberlo dispuesto en la cabeza con más previsión que la vida misma? Anteayer y ayer me enteré de los elementos que, aparentemente ajenos, podrán, por su naturaleza, y por sus circunstancias, ser útiles a mi propósito; y vendrán a este concierto como la música más armónica y más adecuada.

Marco Licinio Visa

No puedo más de curiosidad...

César

Si te lo dijera ya, perdería su facultad de sorpresa. Y además, lo verás pronto.

> (*La suspensión de la audiencia ha
> durado no pocos minutos. En su sitio,
> el público empieza a impacientarse,
> después de haberse encendido. Si-
> guen en el tribunal los cuchicheos,*

los apartes entre jueces y senadores,
las advertencias, avisos o pronósti-
cos pasados de oreja a oreja. Al fin
los jueces llaman de nuevo al juicio.)

ESCENA IV

PRESIDENTE DEL TRIBUNAL

Prosigue el juicio. El tribunal debe anunciar que en este intervalo ha llegado Lúculo y que él tiene ahora la palabra.

(*Gran expectativa y sorpresa ge-*
nerales.)

LÚCULO

No debería estar aquí. Este no es mi sitio. Otro es mi escenario y otras mis armas. Pero ni el uno ni las otras han estado nunca alejados de la justicia; y es por la justicia por lo que vengo aquí, esta tarde, ante el tribunal y el pueblo de Roma para decir lo que sé y exponerlo según mi corazón y conforme a mi conciencia. Si ello no aportara luz no lo diría. Pero aclara la condición de un hombre, su naturaleza, sus instintos, y por eso debo decirlo, con mi voz de militar. Todos conocéis mi vida, conocéis mis actos: soy casado con Clodia, hermana de Clodio. Mucho tiempo, mi casa fue feliz. No sabría enumerar los atributos de esa fortuna, porque la felicidad no se enumera. Pero pintaos un capitán, una mujer joven que lo aguarda, un intermedio de pasión entre dos riesgos. Sin embargo, algo amenaza ese intermedio: un día, bajo mi techo, aparece Clodio. En pocas horas concita mis legiones a la rebelión, las desmoraliza sembrando el descontento, contándoles grandezas ficticias del ejército de Pompeyo. En pocas semanas pone asedio a su hermana, y como los hombres de mundo con sus recursos, él con sus recursos —aunque diferentes— echa abajo esa moral humana, ese ser de mujer, esa flaqueza no conocida, y hace de su hermana su amante, y establece, en mi ausencia, el ludibrio incestuoso y el criminal placer que ante este tribunal con bochorno y pesadumbre denuncio. Lo vi una noche, en verano, en una alcoba; su abrazo parecía lo más horrendo que pudiera ver un hombre que ha visto batallas, mutilación y sangre, porque ese abrazo incestuoso encerraba algo de bajo y de animal que hace retroceder al evocarlo. Agrego sin alegría esta acusación a la que se ventila en esta asamblea que debe ser sin culpa. Yo echo ahora sobre mí el manto del oprobio, regreso a mi casa ya manchada, y me voy distinto del que vine porque he revelado aquello que el secreto parecía mitigar en su sofocación; me voy cargando con esto dicho, con esto revelado, y sola será mi soledad de guerrero como antes nunca fue. Un hombre de honor debe la claridad que pueda hacer aun con aquello que lo entenebrece. Por eso lo hice. He ahí mi deposición, para que sirva.

(En medio del imponente, gran silencio, habla CLODIO.*)*

CLODIO, *lentamente.*

Aun el rencor familiar viene a este sitio a perseguirme. Pero mire quien quiera mi cara: está sonriente. El falso testimonio no la vela... ¿No es acaso natural que el odio sea producido por el contraste, y Lúculo vengue con su invento la adversidad de sus legiones y el encumbramiento de mi vida, que sólo un fallo injusto puede cortar? Pueblo: he aquí mi cara. (*Mira ufano y contento a la multitud.*)

LÚCULO

No era la del abrazo que yo vi. No la que vieron mis soldados de Mesopotamia a los que, en la desgracia, se llevaba más amargura aun, y se engañaba. No, Clodio, esa cara que muestras no es la que te conoce la familia Claudia.

ACUSADOR

Es la que vieron en casa de César la noche de la ceremonia.

CLODIO, *al acusador, burlándose.*

¿Crees que he preparado una coartada?

ACUSADOR

Marco Tulio Cicerón lo ha dicho todo. ¿Valdrá más tu palabra que la de un hombre de honor?

CLODIO

¿Quién habla de honor al perseguido?

(Una creciente incomodidad, una protesta van levantándose en el público. Alguno que otro grito y otro siseo han sonado allá. Y la multitud no hace silencio, sino que se organiza poco a poco un activo y adverso rumor que tiene por blanco a los jueces, al ACUSADOR *y a los testigos opuestos a* CLODIO, *favorito popular. La acusación de* LÚCULO *ha enardecido, lejos de convencer, a esos parciales; y en cambio cada gesto, cada actitud, cada palabra de* CLODIO *despiertan un eco adicto y una expectativa solidaria. Se nota en el foro, aun en los momentos de silencio, la presión de aquella masa hambrienta de participar, urgida de influir, fastidiada de su papel pasivo y secundario en un espectáculo que le incumbe o que juzga incumbirle.)*

ESCENA V

QUINTO FUFIO CALENO

Todo esto es grave e inicuo.

PRESIDENTE DEL TRIBUNAL

Todo esto ilustra nuestro juicio. Abona nuestra opinión.
Cada instante que pasa aporta un grano de arena a la
evidencia.

LA VOZ DE LA MULTITUD

¡No, no, no, no!

QUINTO FUFIO CALENO

Es grave e inicuo. ¿Qué atropello, romanos, vamos a
presenciar esta tarde?

UNA VOZ DEL PÚBLICO

¡Absolución!

OTRAS VOCES, *en coro, apremiantes.*

¡Eh! ¡Eh! ¡Eh! ¡Eh! *(En seguida.)*¡Eh! ¡Eh! ¡Eh! ¡Eh!
(En seguida.) ¡Eh! ¡Eh! ¡Eh! ¡Eh!

Presidente del tribunal

¡Cállese aquel sector!

> (*Un riente clamor de burla estalla virulento.*)

La voz de la multitud

¡Eh! ¡Eh! ¡Eh!

Una voz del público

¡Justicia contra los injustos!

La voz de la multitud

¡Eh! ¡Eh! ¡Eh!

> (*Los jueces empiezan a mirarse entre sí, preocupados y amedrentados.*)

Otra voz

¡Absolución!

Acusador

¡Pido el testimonio de Cayo Julio César! Lo pedí y no fui escuchado. Pido el testimonio de César.

*(De nuevo se hace el silencio en
la multitud. De nuevo vuelve la expectativa.)*

ESCENA VI

CÉSAR, *poniéndose de pie, y con voz fuerte y clara.*

Jueces: hora es de hacer una pausa en este juicio. Yo
reservo para más tarde lo que he de decir, en mi papel
testimonial. La atmósfera está tensa y los ánimos demasiado exaltados. No sería legítimo proceder en este clima.
Jueces: pido al Senado que se pase a intervalo y se ventile
entre tanto una causa sencilla, lo cual aplacará todos los
ánimos. En ella me toca intervenir, no ya como testigo,
sino como pretor. Es la causa del carretero Cino, que por
culpable imprudencia estuvo a punto de desnucar a un
tío suyo en los pantanos de Cinna.

*(Senadores y jueces cambian al-
gunas palabras, en voz sibilante y
sumaria, inclinando sus cuerpos en
el secreto de la deliberación.)*

PRESIDENTE DEL TRIBUNAL, *que atisba una puerta de
escape a la malevolencia y a la presión.*

No entiendo enteramente por qué; pero si no hay opo-
sición del debido poder, el tribunal no se opone, pues esa
causa debía pasar tres días más tarde y no hay razón para

no adelantarla. ¿Qué más da verla hoy si ello puede ser útil? *(Consulta con la mirada a los senadores y a los patricios, y como no ve negativa continúa.)* Se pasará, pues, al intermedio. Y yo cedo para esa causa mi sitio a Cayo Julio César, en la inteligencia de que el juicio será breve.

CÉSAR, *sonriendo.*

Lo conozco en sus detalles y causa, y garantizo que durará poco. No pertenece a mi jurisdicción ni a mi fuero; pero los jurados me han pasado su opinión a su hora. Tengo en este caso facultades especiales. [Nunca me acostumbraré a este aire...]

> *(Un sentimiento de intriga, curiosidad, placer y aquiescencia interviene en la multitud. Todos se aprestan a saber de qué se trata, olvidando por un instante a PUBLIO CLODIO, por cuyos fueros saben que volverán en el momento oportuno. Lo que les gusta es la animación y el nuevo incentivo.)*

ESCENA VII

> *(CAYO JULIO CÉSAR ocupa el asiento que le cede el otro magistrado. Ahora es él quien preside el acto. Y mira despacio a la multitud, al*

foro, a la entera concurrencia, mientras los escribientes y fiscales hurgan en busca de las constancias del nuevo caso.

Un hombrecito enteco, tímido y pobre, mal entrazado, se refugia entre dos guardias de la mirada de todos y va a colocarse en el lugar de los acusados, sin que en la plaza nadie se haya movido.

Un nuevo ACUSADOR, flaco y miope, substituye para esta causa al anterior, y al levantarse en el momento oportuno para plantear los cargos del ministerio público le tiembla algo la voz de pura turbación y hasta, se diría, de pura lástima.)

ACUSADOR SEGUNDO, *que expone con cierta ridícula rapidez y canto verbal.*

Esta es la causa de Cino, un pobre hombre, carretero de los pantanos de Cinna, que casi desnucó a su pariente, el agricultor Fulvio Tara con una palmeta de batir dulce, en la casa de que eran propietarios... Este pobre hombre de nombre Cino, que ahí delante de nosotros tiembla y se espanta, descargó, debido a la impaciencia causada por la obstinación de una mosca que en la calva de Fulvio Tara persistía impertinente, un paletazo tan torpe que la víctima se desplomó desvanecida, y después de quedar así por dos días, todavía hoy se repone confusa, trastornada aún del golpe aquella tarde asestado... Quienes lo curan vacilan en predecir la salud de Fulvio Tara, pues el golpe fue en punto tal del viejo cráneo, que la masa encefálica se conmocionó seriamente. Tal es el hecho probado. (Al público.) Romanos, tengo la impresión de que no traiciono mi ministerio si digo la verdad aunque no cargue la mano, y digo que ese hombre que tiembla y está ahí más muerto que vivo, me parece incapaz de matar una mosca, aunque en efecto la haya matado...

(De la multitud escapan festiva-
mente algunas voces.)

VOCES

¡A soltarlo! ¡A soltarlo!

ACUSADOR SEGUNDO

La imprudencia se produjo según las circunstancias que a él mismo pediremos que cuente. (Dirigiéndose a Cino.) Habla, Cino, contándonos en detalle tu delito.

CINO, que se incorpora dificultosamente tembloroso y
pálido como un muerto.

No sé cómo fue. Digo. No sé cómo pasó. Ruego misericordia. ¿Qué van a hacer de mí? ¿Qué culpa tengo? No sé cómo pasó. Era la hora de la siesta. Yo intentaba dormir, en mi camastro. Fulvio estaba sentado, dormitan-

do también ante la mesa en que había engullido una
cabeza de cordero y doce lonjas de tocino de Italia, amén
de unos huevos, y unas frutas de postre con queso acompañado de un poco de vino... Yo intentaba dormir, ciudadanos, estando cansado, pues confieso que desde hacía
nueve días trabajaba en el campo al calor de tormenta
aparecido en un tiempo anormal. Declaro que sufría como
un asno: asno era. Mi estómago digería malamente, cons-
tantes eructos me sacudían con apenas tragar un bocado
y horrendas pesadeces me agobiaban todo el tiempo. Había comido ese mediodía un solo trozo de dulce, y, echado ya en la cama, al poco tiempo una mosca maldita
se obcecó en atacarme. Volaba zumbando de un lado a
otro; pero venía siempre a situarse sobre mi nariz, sobre
mi boca, sobre mis párpados y cejas y sobre mi barriga
desnuda, cosquilleándome de tal modo que, harto, levanté
del suelo mi zapato de clavos y contra ella lo despedí
con violencia. Ella continuó sin embargo. No he visto
nunca bicho parecido. Transpiraba mi frente, se erizaban
mis nervios, se enfurecía mi cabeza; y la mosca iba y
venía posándose, empecinada, en un sitio u otro de mi
busto con impertinencia, maldad e impudicia asquerosa...
Entre tanto Fulvio roncaba e hipaba, durmiendo su diges-
tión burdamente. Me levanté, perseguí a la mosca por
todo el cuarto, colérico, utilizando mi almohada como
arma, pero el insecto, después de haber saltado de pared
en pared, se ocultó con insidia, lo cual me engañó sobre
su propósito volviendo yo por eso a acostarme calmado.
No lo había hecho del todo cuando ya de nuevo, con más
pertinacia e imprudencia que antes, la mosca recomenzó

el asalto, y de nuevo me puso en estado tal de fastidio y cólera furiosa, que me lancé nuevamente de la cama, tomé de la cómoda una palmeta de batir, y con ella empeñé contra la mosca la guerra más ensañada. Oh jueces, oh ciudadanos: decir es poco lo que aquello me costó... El perverso insecto empezó a posarse sobre la calva de Fulvio roncante y de aquella cabeza hizo su terreno de combate, provocándome desde allí a que yo le amagara golpe tras golpe con la paleta, sin que la condenada dejara de volver con insolencia asquerosa, como langosta que levanta vuelo y regresa maligna a diezmar el sembrado... En un instante, enceguecido, perdí mi dominio sobre mí, y apuntando al sitio donde en el cráneo de mi tío estaba la mosca, descargué la paleta con tal mala suerte que mosca y tío cayeron bajo el golpe abatidos... Quedé abrumado, jadeante, con la paleta caída, e hice todo cuanto pude por reanimar a mi tío bañándolo con agua fría y dándole palmadas y en fin acudiendo a todo lo que se me ocurría hacer, sin que por desventura el pobre abriera los ojos. Tal fue, ciudadanos, lo sucedido, contado con verdad y honradamente.

(La gente ríe allá arriba.)

ACUSADOR SEGUNDO

Jueces, asamblea: he ahí un justo relato. Yo pregunto: ¿qué pena imponer a esta infortunada, mísera víctima de su cólera en una tarde de verano, y pesado agresor a su pesar?

Voces en la multitud

¡Libertad para el pobre rústico! ¡Libertad para el pobre rústico! ¡Dejarlo irse!... ¡Al juicio de Clodio! ¡Al juicio de Clodio!

Acusador segundo

César, honorable pretor: a ti te corresponde la sentencia.

César, *incorporándose lento.*

(*Hay en su continente el aplomo y la imponencia de la voluntad de poder, administrada todavía en las formas cautas de la táctica.*)

Pueblo romano: he aquí un caso desconcertante y un acontecimiento engañoso. Un hombre, ese que está allí, que casi ha dado muerte al agricultor Fulvio Tara, sujeto tranquilo y epicúreo modesto, por matar en su cráneo una mosca posada... La cosa parece sencilla. Una paciencia que pierde sus frenos, una furia que se acrecienta, un brazo que se levanta, una mano que cae armada de su necesario instrumento. Miro a Cino temblando, y yo también tengo lástima: pienso en su inconsciente torpeza, en su involuntario atropello, en su violencia incalculada y en su delito constituido por lo más indisputable de lo meramente imprudente; y también tengo lástima... (*Alzando brusca y amenazadoramente su tono después de la pausa.)* ¡Pero yo no estoy aquí para tener lástima! Oh, romanos, en la vida privada uno puede regalarse con sus negligencias y espolvorearse de sus inofensivos sentimientos. Pero ¿quién en la función pública será capaz de subordinar los mandatos de su magisterio a las inconsistencias del temperamento? Sólo el que peque de blando. Y la blandura —no dejemos este principio de lado— es el atributo de la decadencia, su primera señal y su último acompañante. No. Yo no debo tener lástima. Debo tener otra cosa. Esa otra cosa, ¿cómo se llama? Romanos: ¡la veracidad! ¡Veracidad conmigo, veracidad con un culpable, veracidad con una víctima, veracidad con vosotros! La verdad, primera y para todos: esa facultad viril sin la cual vosotros, pueblo, seríais como la cera que se derrite al encenderse, antes que como el hierro que se endurece de lo que lo incendia. No deis valor a esta apariencia de elocuencia. Despojad a mis palabras de otro mérito que su contenido de verdad.

> *(Una diferente expectativa se apodera del público, que escucha religiosamente. Resuena fría la voz de* CÉSAR *en la tarde. El movimiento de la muchedumbre al acomodarse en sus posiciones impone la pausa al discurso.)*

CÉSAR

Pero ¿qué es la verdad? ¿Qué esa línea divisoria que

escinde el mundo en dos y opone el réprobo al bien-
aventurado, el probo al crápula y a veces el triste al que
exulta? ¿Qué es esa plenitud en que de pronto entramos
sin buscarla, que obtenemos después de rémoras, o en la
que secretamente se nos admite por un factor operado
en otras latitudes que este mundo? Esa instancia en la
que, en éste, lo mismo se gana que se pierde, como si su
objeto o su naturaleza asistieran con mofa a nuestra beli-
gerancia, y se cuidaran demasiado poco de lo que damos
por obtenerla, soldados ciegos de una causa clara... Su
triunfo es como la luz cenital; y no está en nosotros sino
en ella misma, causa por la cual importa en nuestro desig-
nio de obtenerla más la determinación que pongamos
en la acción y el método, que la suerte con que el botín
nos será dado. ¿Sabemos que está ahí donde la buscamos,
en la fuente que le suponemos, en la expresión con que
la proclamamos? ¿Cuál es la verdad del cruel? ¿Cuál es
la verdad del tímido? ¿Cuál es la verdad del sabio y cuál
la del ignorante? ¿Hay una verdad cruel, una verdad
sabia, una verdad ignorante, y existe sobre toda cosa un
principio único y uno, o la verdad son meras fases de
una iluminación condicionada al ángulo de nuestra colo-
cación o a los aparentes secretos del objeto? Son preguntas que me formulo, romanos, para llegar a un solo
principio, y es el de que por sobre todo debe conducirnos
no el obtener la luz, sino el necesitar buscarla y admitirla
sin las estratagemas del político ni el corazón interesado
del todopoderoso ni las consideraciones engañosas por
donde nos lanzan a navegar los vientos de la simpatía o
las razones del favor humano. Este pobre y tembloroso

Cino conoce la imprudente fuerza de su brazo, pero ignora la propensión con que en su alma se esconde el victimario. En las profundidades de este hombre se oculta un esfuerzo obscuro; y el peligro de su obscuridad y vías profundas es el que importa a esta judicatura y a las conveniencias del pueblo mismo. [Sí. Pero cuánto preferiría yo menos elocuencia, menos demagogia. Esta voz, superior a mí, ¿es superior a mí, a una corriente y común naturaleza?]

(El silencio de la multitud se ha transformado en incertidumbre, no poca confusión y dificultosa necesidad de entender. Otro silencio parece haberse hecho sobre el silencio. Y una tensión gravitante carga su fuerza sobre esa plaza y sobre tanta gente.)

CÉSAR

¿Ante qué realidad estamos? Un hombre que no ha salido aún del peligro de la muerte y otro hombre que ha asestado sobre su cabeza dormida el paletazo del asesinato, si bien oculto en la simple y al parecer inocente voluntad de matar una mosca... ¡Fruto de una desproporción calamitosa! Ese brazo se armaba con un poderío capaz de acabar con una vida humana para llegar a la muerte de un insecto que cabe en el tamaño de una uña de niño, y cuyo cuerpo es frágil y blando como la miga que ese mismo niño desmenuza. Esa mortífera violencia iba guiada por el propósito, romanos, de matar una sombra volante...

> *(Risas y jarana en el público, que al fin halla una grieta por donde entrar a entender.)*

CÉSAR

No. No es motivo para risa. Esa risa es más fatal que la violencia con que el brazo de Cino pudo ultimar al agricultor Fulvio. *(Van, no sin embarazo, poniéndose serias las caras de los que reían.)* No es motivo para risa. Yo pienso en esa tarde, en los pantanos cínnicos, en el carretero y el agricultor reposando en esa siesta de la cabaña de indigentes. Veo el vaho de la tempestad no descargada. Los juncos húmedos, en torno al agua cenagosa. La excitación y enervamiento de los hombres en esa zona sofocante, el vuelo de las moscas, el caliginoso silencio de los días que no acaban. La mosca obstinada fastidia a Cino; y él, frenético contra ella y por aniquilarla, descarga su fuerza, ciega pero ferozmente, sobre el cráneo de un hombre que duerme... ¿Es otra la actitud de cualquiera que mata, del asesino que ultima, del bárbaro que ataca? No: sólo los diferencia el móvil, el propósito inductor, la razón que los determina. Pero el acto, como tal acto, no es menos el mismo. Mirad ahí *(señalando a Cino)*, a ese bárbaro que hoy tiembla y aquella tarde levantó y asestó el brazo que estuvo a punto de ser mortal... *(Sonríe.)* Ese bárbaro, romanos, quería matar una mosca... Y es eso lo que hace descargar sobre él nuestra indulgente y pronta simpatía. Eso es lo que a él, a su vez, ante sí lo descarga de culpa específica. Porque su gesto iba... contra sólo una mosca.

(El orador echa atrás la cabeza, entorna los ojos y piensa.)

César

¡Una mosca! Pensémosla en su ser. Un punto que vuela. Una ínfima materialización alada de la vida. El peso aéreo más visible entre los insectos invisibles. Una pequeña prueba negra de que la vida actúa, continúa. El primer objeto vivo que el recién nacido ve pasar, al ver, y el último por el que el moribundo quisiera ver aún, aún persistir, aún ver ese vuelo y los parecidos de su especie. Una sombra pasante que no sabemos si es real o el signo de la anomalía en que nuestra visión inventa insectos. Tenido por el más asqueroso de los seres, y sin embargo, nuestro compañero en todo instante, desde aquella agonía a aquella cuna, y nuestro compañero de vivienda, el primero que al abrir nosotros una puerta, entra con nosotros en la obscuridad y con nosotros reconoce los objetos del recinto en que nos internamos... El más calumniado y el más ignorado, y sin embargo aquel que toca nuestra llaga cuando nuestra llaga asquea y espanta al más querido de los seres amigos; aquel que llega y se retira del sitio donde nuestro mal empeora y nos circunda, y donde tantas horas padecimos solitarios con esa sola mosca solidaria que en torno a nosotros anda, activa. El único animal visto en su fragmento de ignominia, ignorado en el otro, de que como todo lo que existe está igualmente constituido. *(Piensa un segundo y continúa.)* Un punto móvil. El más transparente de alas, el más limpio, pues a cada rato barre con sus patas cuanto de impropio o malo se adhiere a su cabeza. El más veloz, el menos sorprendible. El que posee exquisitos gustos en medio del sacrificio necesario de cuanto no de bello debe rozar en busca de lo bello, siendo lo bello el rostro de mujer más reservada, la hermosura del párpado de núbil, la superficie de una obra sublime de escultura o pintura por inaccesible que esté situada o preservada, el aire del espacio celeste, el ala del gavilán, el seno de la reina, el aire de la túnica manchada con la sangre del asesinato de un valiente, el sueño del cansado entre dos triunfos, el jadeo sensual de la casada, la frente solitaria del justo, el piso de Alejandría, los agros tusculanos, el sudor del mercader pentecapeo, la boca de la muerta por amor, el sacerdote, la manzana, el pino, el légamo, el bisonte. *(Toda la multitud lo escucha silenciosa.)* Y fuera de lo que así roza, tocando y acariciando la belleza, no busca sólo su habitación en los establos, sino que la designa en la rama de la lila o de la fresa, haciéndose en España esa cantárida que cura males físicos y que enardece el sexo, hinchándolo y preparándolo para el amor. Se alimenta de las madreselvas, de las lilas de Persia, y en algún punto de la tierra, en silencio, por la noche, se hace mosca de luz... Hipócrates prescribía la cantárida para la apoplejía, las ictericias y la espantosa hidropesía, aunque Plinio el Mayor habla de un caballero romano que por ingerir cantáridas en forma masiva y excesiva pasó a mejor vida, si bien Areteo de Capadocia tiene otra idea de ese remedio. La llamada mosca armada simboliza el coraje. Destructora es la mosca de los olivos, que pone el huevo en la aceituna para que con ésta caiga al suelo la larva; pero, ¿no somos destructores los guerreros, y el caballo de Troya no fue la larva colocada en el sitio elegido para hacerla fértil? Mosca se llama una constelación celeste. Y no hay quien, bien pensado, bien inspirado, e ilustrado, no respete a la mosca común y a la Lucilia Caesar. *(Mirando fijamente a la multitud allá enfrente, a través de la plaza.)* Yo también puedo contar noticias de la mosca solidaria. Cuando, yendo a Bitinia, fui apresado por unos crápulas piratas, entre los que sin aflojarme el cinturón ni las sandalias viví cuarenta días, entreteniéndolos —para no ser ultimado mientras de las ciudades asiáticas llegaba mi rescate— con relatos y versos y otras cosas que mi ingenio inventaba, entonces, mucho tiempo me distraje en considerar desde mi lecho las moscas que, próxima la costa, jugueteaban en los barcos. A ellas les conté, discurriéndolo humanamente a solas, mi plan de crucificar a los bandidos —cosa que hice— una vez que lograra liberarme; y sólo del vuelo de aquellas moscas sobre la cama del soldado tuve los signos de la animación o vida que las largas noches me vedaban en la vigilia inacabable del cautivo. Luego en Mileto, en Rodas, en España me reía de verlas pegajosas, y nunca se levantó en mi espíritu la cólera contra esa divertida ánima errante.

(El carretero acusado observa a

CÉSAR *con desesperación e incertidumbre. La multitud escucha intere-
sada, subyugada por esa voz viril
que tanto se parece al canto del poe-
ta por su aguda elocuencia. Pero*
JULIO CÉSAR, *después de una breve
pausa, cambia bruscamente de tono,
ingresando en la peroración acusa-
toria.)*

CÉSAR, *frío y grave.*

Por eso digo, pueblo romano, que la verdad engaña
a veces, pues la verdad se muestra a veces en su fragmento.
Cada hombre elige el fragmento que le sienta y desecha
como mentira la otra parte. Y parte de la verdad es lo
que hemos divisado en lo que el acusador y Cino mismo
nos han planteado de este caso curioso. Yo lo impugno.
Yo digo que este bárbaro de los parajes pantanosos, ese
que está ahí, ese ser menor, es un juguete de sus furias
ciegas y un impulsivo cruel capaz de males mucho más
funestos que el que por una razón providencial hoy no
juzgamos todavía como mortífero y como irreparable.
Felizmente Fulvio Tara puede aún vivir, pese al ataque
de este furioso agente de la Furia. Pero a la venidera
víctima de Cino, a ella en potencia y desconocida me re-
mito, para preguntar si este bárbaro no es el peligro peor
que pueda darse en lo que atañe a una cabeza obnubilada,
esa que enfurecida por la inofensiva mosca, ebria y ciega
de aniquilarla a paletadas, no vacila en cargar el arma y

casi desnuca al no menos inocente roncante de este caso.
(*Pausa.*) Esa cabeza obnubilada, yo me pregunto, ciudadanos, el brazo y alma de este tosco, yo me pregunto, ¿me-
recerían algo menos que la muerte, una medida que nos
diera la sanción proporcionada a su impulso y a sus
calculadas e incalculables consecuencias? [Esto es la magia. Pero la magia ¿no persigue al fin al propio mago?]

LA VOZ DE LA MULTITUD, *masiva e inmediata.*

¡Eh! ¡Eh! ¡Eh! ¡Muerte! ¡Muerte! ¡Muerte!

> (*Un gran disturbio de voces que
> claman y brazos que se levantan,
> perturban allá enfrente, con la pla-
> za al medio, a ese público que ins-
> tante antes escuchaba mansísimo.
> Ahora grita y solicita su sentencia.
> "¡Muerte! ¡Muerte! ¡Muerte!" se
> oye en ese coro reiterado; y abajo,
> de pie, JULIO CÉSAR lo escucha, de-
> jándolo exacerbarse activamente.
> Al fin habla, con leve sonrisa de
> nuevo en los labios, después de ha-
> ber oído el grito del acusado pidien-
> do clemencia.*)

CINO, *lloriqueando aterrado.*

¡Misericordia...! ¡Misericordia...!

(Cino se retuerce las manos, im-
plorando y llorando. Hay también
una gran agitación y gran alarma
entre los senadores y el patriciado.)

CÉSAR, *habiendo esperado el punto crítico del enardeci-*
miento que en el público ha obtenido.

Sí, ya sé, pueblo romano, que así lo entendéis y que así
podría yo decretarlo en mi potestad de juez con vuestra
anuencia... De todo cuanto dije, observo ratificada la
virtud; eso me basta. Una palabra más y este pobre hombre habría ido a morir colgado de una cruz. Pero no es
ese mi ánimo, ni ese, romanos, el derecho justo. No juzgamos hoy la culpa en sus consecuencias sino en sus, por
fortuna, aligeradas resultantes y yo puedo admitir que mi
sentencia contemple los hechos más que su principio, en
favor de este pobre inconsciente y en la seguridad y la
esperanza de que de la experiencia saldrá el mísero escar-
mentado. *(A Cino.)* No, pues, Cino, no serás sentenciado
a la vil muerte que un vil arranque pudo justicieramente
depararte, devolviendo ira por ira. Cálmate. No te será
aplicado el rigor de la ley a discreción. Delante de esta
asamblea yo te conmino a la reflexión, so pena de que
otra vez que comparezcas toda severidad será poca para
tu causa. Y hoy sólo te condeno —aceptadlo, romanos, por
la necesaria tolerancia que os pido— a dar vueltas corriendo a pie desnudo la ciudad durante ochocientas vueltas, que harás sin pausa y desde esta misma hora, para

pagar en flaca moneda tu delito imprudente y tu cólera de pillo. Cúmplase esta sentencia... y vamos a otra cosa. [Después de todo si yo hubiera sido este carácter, ¿no hubiera hablado también así? Pero no: ¿cómo podía yo haber nacido para este género de tretas? ¡Ah, mi pobre alma desautorizada! ¡Si yo supiera lo que pide!]

> (*La multitud aplaude entre carcajadas y mofas, desconcertada y aceptante, más rápida y unívoca de obediencia que la más obediente servidumbre. Se oye un coro, aunque no muy entusiasta, de aprobación y de condescendencia, y algunas risas y motes son dirigidos al infeliz carretero, mientras éste se aleja entre los guardias y* CAYO JULIO CÉSAR *se dirige, abandonando el estrado, al asiento que ocupaba antes como testigo.*
>
> *Voces aisladas reclaman en el público el juicio de* CLODIO.
>
> *Los anteriores jueces vuelven a ocupar sus sitios primitivos y el foro se dispone a escuchar.*)

ESCENA VIII

MARCO LICINIO VISA, *inclinándose al oído de* CÉSAR *que ha tomado asiento a su lado como antes.*

¡Espectáculo ejemplar! Todavía me has sorprendido, César. Y confieso que no lo esperaba.

César

Mira para el lado de Clodio. Te lo anuncié; compruébalo. ¿Ves al cínico y al arrogante? Ahora está pálido y tiembla más que el propio Cino.

Presidente del tribunal

Declaro reanudada la causa de Publio Apio Clodio.

Quinto Fufio Caleno, *levantándose con aire de protesta.*

No entiendo la obstinación de un juez adverso...

Presidente del tribunal, *airado.*

Retira esa apreciación trivial y temeraria.

Quinto Fufio Caleno

No entiendo la obstinación de persistir en la ignorancia de un hecho que hace sobre todo este triste caso la luz definitiva. Publio Clodio no estaba en Roma la noche de las ceremonias de la Buena Diosa. Tacharé de ilegalidad todo lo que se diga por el tribunal en más de eso.

Presidente del tribunal

La judicatura ha oído algo más. ¿No es mucho más

efectivo y no carga más evidencia el testimonio de Cicerón? Quisiera...

> *(Gritos de protesta parten coléricos de las filas del público. Un "¡no, no!" enfático y repetido surge de ese sector del foro, en forma tal que el* PRESIDENTE DEL TRIBUNAL *no puede proseguir durante algunos minutos y espera cohibido.)*

PRESIDENTE DEL TRIBUNAL

...desearía que una voz legítima destruyera lo que nos parece indestructible: ese testimonio de Marco Tulio Cicerón, a quien, según lo que él esta tarde ha sostenido, Clodio visitó la tarde misma de la fiesta y aquí en Roma.

ACUSADOR

He pedido el testimonio de Cayo Julio César, que, por hábil juez que sea según hemos visto, como tal testigo y sólo como testigo en este juicio ha sido convocado.

CLODIO, *titubeante.*

Yo quiero decir algo...

PRESIDENTE DEL TRIBUNAL

Toca la palabra al testigo Cayo Julio César, marido de

Pompeya, en cuya casa ocurrieron los hechos que sirven de materia a este proceso.

> *(En medio de la expectativa más alta que en la tarde se haya producido, se incorpora para responder* CAYO JULIO CÉSAR.)

CÉSAR, *lentamente, con expresión impasible.*

Consternado me siento; pero confieso que de nada puede servir mi testimonio en la apreciación de la presunta falta de Clodio. *(Sus palabras y su tono están encaminados a morigerar o enjugar la culpabilidad del acusado.)* En efecto, nada sé de lo que se le imputa. Ignoro los hechos de que se ha hablado, nunca supe de qué se trataba, nada sé de lo que se pretende que sucedió en mi casa la noche de la ceremonia.

> *(Un movimiento de aprobación y júbilo se opera en la muchedumbre, así como de sorpresa y casi escándalo en las filas del Senado y patriciado a lo largo del foro.)*

ACUSADOR, *alzándose de golpe.*

Pero ¡cómo! ¡Oh, César: tus palabras aportan la peor confusión! ¡Cómo puedes sostener cosa igual, si tú mismo, a raíz del escándalo de las ceremonias, repudiaste a tu mujer, separándola de tu lado! ¿Cómo puedes sostener ahora que nada sabes de lo que ocurrió?

CÉSAR

Repudié a Pompeya porque la mujer de César no sólo ha de ser buena, sino que ha de parecerlo también.

> (*El mayor de los tumultos estalla en el foro de las más diferentes maneras. La multitud avanza hasta casi invadirlo, amenazante y presionante. Los jueces, los senadores y los patricios se han puesto de pie.* QUINTO FUFIO CALENO *ha ido a abrazar a* CLODIO, *dándolo por absuelto.* CLODIO *ríe ahora de nuevo como un triunfador.*)

VOCES DE LA MULTITUD, *tonantes.*

¡Absolución! ¡Absolución!
¡Absolución! ¡Absolución!

ACUSADOR

¡Parad! ¡Esto no puede ser! ¡Jueces: yo clamo por la justicia! ¡Clamo y protesto! ¡Mantenga este tribunal que susurra un no susurrante decoro! ¡Clodio ha mentido, y los hechos son públicos y notorios! ¡Vergüenza, vergüenza...! ¡Pido serenidad y justicia!

(El PRESIDENTE DEL TRIBUNAL *cambia puntos de vista con los otros jueces, rápida y forzadamente. Parece contar los votos. La coacción popular y el sesgo de las cosas prueban haber actuado sobre sus ánimos, produciendo la actual timidez, el temor y la hesitación. El cuadro visible en todo el foro no puede ser más agitado y confuso.)*

VOCES DE LA MULTITUD

¡Absolución! ¡Absolución!

UNA VOZ AISLADA QUE PARTE DE LA FILAS DEL PÚBLICO

¡Hablad, jueces! ¡Hablad al fin la verdad desde el fondo de vuestra cobardía! ¡De una vez la verdad!

OTRA VOZ

¡Viejos crápulas! ¡Viejos crápulas!

LA VOZ ANTERIOR

¡Fuera con los enemigos de Clodio!

TERCERA VOZ

¡Fuera con la confabulación!

(Al fin se levanta el PRESIDENTE
DEL TRIBUNAL. *Está cohibido e in-
timidado. Sus manos y su voz manifiestan a las claras la desintegración
completa de su moral. Pero recom-
pone aún el aspecto externo del discurso.)*

PRESIDENTE DEL TRIBUNAL

Una ley especial y severidades especiales por parte
de este tribunal han dado prueba de los resguardos con
que ha tratado la República este caso especial. Juzgarlo
ha sido un empeño delicado. Todos los elementos de juicio vistos, la potestad de los jueces puede decir ahora
su palabra sobre el caso de Clodio y los méritos de la
acción y acusación. Ninguna posibilidad de evidencia se
ha dejado de lado. Ningún elemento de convicción se ha
descuidado con el propósito de aportarla. Los testimonios
son amplios y claros a juicio de este tribunal. Y treinta
y un votos se han producido contra veinticinco. Es hora,
pues, de decir al pueblo romano que...

VOCES DE LA MULTITUD, *cada vez más broncas,
más categóricas.*

¡Absolución! ¡Absolución!

PRESIDENTE DEL TRIBUNAL

...que conforme a la declaración de Publio Apio Clodio y a lo dicho por César hace unos instantes y a la imposibilidad total de obtener contra ello evidencias que lo refuten o pruebas suficientes que lo anulen, lo contesten o lo transformen, la judicatura proclama a Publio Apio Clodio absuelto de la acusación de sacrilegio, que se le llevó...

(En medio de infinita baraúnda, la muchedumbre, en entrechocantes racimos, avanza, se interna en la plaza, se confunde con los magistrados y los grupos de nobles, y entre todos se teje el encuentro complicado de opiniones, aprobaciones y condenaciones, mientras se ve a la astrosa vendedora de higos, a los ofertadores de castañas, a hombres y mujeres desharrapados, a figuras cansadas, a seres ociosos y miserables filtrarse entre los asistentes que se dispersan, quedando algunos con el ánimo de acercarse a CLODIO, de escucharlo y hasta de tocarlo. Al fin, acompañado de sus amigos, festejado y palmeado, CLODIO, que minutos antes habrá corrido a abrazar a CÉSAR, desaparece detrás de las basílicas, en momentos en que por las distintas salidas, van yéndose los últimos grupos de público, los senadores, los patricios y los jueces.

El piso de la plaza queda al descubierto lleno de cáscaras de castañas y plátanos, de objetos tirados, de desechos y de alguna sandalia rota.

Sólo CÉSAR, *junto a su amigo* MARCO LICINIO VISA, *a sus lictores de pretor, escribientes, legionarios y otros servidores, permanece allí, en su silla, fatigado y aquietado.)*

ESCENA IX

CÉSAR

Ha caído la tarde... Visa, ¿no te gusta esta hora de Roma? El aire responde a los rojos de la tierra; todo se pone ocre; hasta nuestros brazos y nuestra cara reciben, embellecidos, la visita de esa tonalidad terracota. Yo recuerdo las tardes de Rodas. También eran bellas. Pero no tenían para mí como estas, un temblor rojizo de augurios. Marco Licinio, ¿no estás cansado? Ha sido una ceremonia demasiado larga...

MARCO LICINIO VISA, *mientras por su rostro se expande una noble tristeza.*

Te he oído, César. Un hombre más es ahora tu instrumento. Te he oído...

CÉSAR

¡Qué quieres! Hablar me despierta. Mientras no combato en el campo de guerra, ello llena ese vacío misterioso y odioso que me agobia. Espanto la muerte. Y toda la vida, ¿no se pasa melancólicamente en espantarla?

UN GUARDIA, *que aparece corriendo, sin alientos, y se dirige al pretor.*

¡César! ¡César! ¡Cino, el penado, ha caído en la vigésima vuelta y está como muerto, extenuado! ¿Qué hacemos con él?

CÉSAR

Déjalo que se vaya. Ya ha tenido suficiente. Tal vez aun menos merecía el desgraciado; y además, fue útil. . . Dale un trozo de pan y que se vaya.

EL GUARDIA

Salve.

(Desaparece a la carrera. Ya toda la gente se ha ido, menos la astrosa vendedora de higos, que se acerca ahora a CÉSAR. *Se detiene, lo mira largamente y le ofrece el contenido de su cesta.)*

LA VENDEDORA DE HIGOS

Cómprame estos últimos, César.

CÉSAR

¿Cuánto has ganado esta tarde, bruja? Más que Clodio.

LA VENDEDORA DE HIGOS

¿Clodio?

CÉSAR

¿No has atendido al juicio?

LA VENDEDORA DE HIGOS

Yo sólo atiendo a mis higos. ¿Quieres éstos?

CÉSAR

Pon esa cesta ahí. (*Le señala un sitio en el piso, delante de él. Luego dice dirigiéndose a uno de sus lictores.*) Págale, Tulio Balbo.

TULIO BALBO, *a la vendedora.*

Toma y véte. (*La vieja astrosa recoge el dinero y se*

retira lentamente después de haberse despedido de su
cesta.)

CÉSAR, *viendo las moscas acumuladas en la cesta, y una*
de ellas llegar y posársele en los brazos y la cara, y
dirigiéndose a uno de los legionarios.

Acércate, Enio... Espántame estas moscas.

> *(El legionario vacila temeroso. Sin*
> *atreverse a moverse tarda ahí, de pie,*
> *convertido por el pavor en estatua.)*

CÉSAR

Vamos, hombre. ¿Has oído?

> *(El legionario, después de haber*
> *mirado en cohibida consulta a los*
> *hombres que rodean a* CÉSAR, *se de-*
> *cide, da dos duros pasos y con gran*
> *timidez espanta con las manos las*
> *moscas de la cesta y del cuerpo de*
> CÉSAR.)

CÉSAR, *advirtiendo la vacilación del legionario y su causa.*

¡Ja, ja...! ¡Ja, ja, ja...! *(Se levanta y aparece lúci-*
do y flaco en el crepúsculo que ha descendido sobre el
foro romano. Sus ojos contemplan el espacio rojizo, el

aire y el cielo sobre las basílicas.) ¡Ah! ¡Hombres...!
¡Hombres! ¡Criaturas vanamente arrogantes! ¡Adultos
llenos de minoridad! ¡Vanos sopladores de sí mismos!
¡Crédulos de tener entre las manos una ilusoria esfera de
juguete, en cuyas luces simbolizan el reflejo de sus propios
enloquecimientos enfáticamente vestidos de poder, órdenes
y furia! ¡Pretensos inocentes embebidos de culpa! ¡Seres
infinitamente petulantes...! *(Con tajante lentitud:)* ¡Des-
preciadores de moscas!

> *(Terminada la obra, los actores
> saludan con una breve reverencia.
> Baja entre ellos y el público una
> tela transparente, como si fuera ya
> el telón.)*

> *(Transición.)*

PRIMER ACTOR

¡Uf! ¡Por fin! *(Dirigiéndose a los actores que se hallan
hacia el foro:)* A Blasco, que me alcance un vaso de
agua. No hay nada más sofocante que llevar en sí a un
gran hombre. ¡Por favor, un vaso de agua...! Muévase
alguno. Pronto. *(Dando la espalda al público y retirándose:)* ¿Dónde está lo humano, natural, profundo? Un
alma... el silencioso honor... un espíritu sin ardid,
un espíritu, nada más, y sólo eso. ¡Blasco...! ¡Blasco...!
¡Blasco...! ¡Blasco...!

(Mientras grita ese nombre con voz cada vez más alta, se precipita hacia adentro, desesperadamente.

Y *cae el* TELÓN.)

NOTA

La idea de esta pieza surgió en mi espíritu hace varios
años, no sé cuántos, releyendo en una pausa de labor a
Plutarco, a Suetonio y a Tácito, y por haber hallado un
episodio que me pareció interesante, porque estaba lleno de
aspectos menos mal conocidos que mal meditados. La pieza,
sin embargo, no se me presentó como pieza histórica, sino
como mero juego; y lo que este libro contiene, téngase
bien en cuenta, es mero juego. Los elementos de que
está constituido convienen, pues, a las leyes de un juego,
y no a las de una obra histórica, por más que el hecho
principal en que el juego descansa haya sido un hecho
real. Actos y palabras han sido por mí ordenados al sentido interior de una interpretación libre y de una recons-
trucción a la vez caprichosa y armónica, lo que no es
—en modo alguno— obstáculo para que la estructura dra-
mática haya empleado, como he dicho, la verdad primera
para obtener su sentido último. La estructura de la obra
no obedece más que a una idea de *sentido*.

Lo que pasó una noche de Roma y en un juicio romano
se pareció mucho a lo que aquí se cuenta, pero se pareció
más en el dominio de ese *sentido*, que en el dominio
de la nuda realidad. El juicio en el que culmina ocurrió,
aunque no ocurrió como ocurre en mi concepción, que es
la concepción obediente a la ley íntima de un juego *pensado*. Aquí la elocuencia de César y la elocuencia de Cicerón son *mi idea* de esas dos elocuencias, mi libre interpretación y recreación; no una idea de las palabras ori-
ginales. Cicerón habló como Cicerón, pero mi Cicerón habla
en esta pieza como *mi* Cicerón. Y su discurso real —que
fue pronunciado pero que no he considerado porque es
ajeno a mi juego— no pertenece a esta pieza ni a su

mundo (el de ella). Las peripecias, en su secuencia y remate, también sucedieron, pero no sucedieron como yo las he ordenado, pues la historia de Cino y su juicio son invención mía: he inventado esos episodios, las ideas en que derivan y el lenguaje que las mantiene en su deliberada coherencia, que es una coherencia distinta, aunque no he inventado el resultado de la cuestión. César hizo lo que aquí se cuenta, en cuanto al resultado o fines de su actitud; yo me he atenido en cambio a mi propia visión de lo que él hizo o de cómo lo hizo, y al lenguaje que mi concepción de las cosas —y no las cosas mismas— otorgaba, por una ley de necesidad y por su mandato inmanente, a ese enfoque. Yo no sé si César hablaba así; probablemente no; pero para mi pieza *debía* hablar así. Sin este imperativo interior nada de lo que ocurrió en aquellas circunstancias habría sucedido como en realidad sucedió, o nada habría sucedido según su oculto pero inescapable carácter. Es ese inescapable, fatal, íntimo, indisimulable carácter, el que rige y sistematiza las ideas sobre las que esta obra está basada.

La lira de Clodio; el famoso juicio de la Buena Diosa visto a través de un solo día y no de dos; el voto de los jueces en la proporción de 31 a favor por 25 en contra; la diversa jurisdicción o fuero pretorianos según lo administrativo o comercial en términos de exclusividad, *ex hypothesi*, todos esos detalles son, en el lenguaje aristotélico, el accidente, y por lo tanto no perturban el inevitable resultado: la inmoralidad substancial de la treta cesárea para salvar a Clodio con reserva del verdadero motivo; y tienen menos importancia que el hecho de que, de esa física de la acción, pueda destilarse una metafísica del inevitable destino final de los astutos cesarismos, de suerte que la metafísica parezca haber elegido sus hechos y no los hechos a la metafísica. Y sería un inglorioso error creer que es la razón la que, por una deformación intrínseca, procede así. Pues lo que procede así es la vida. La vida es el triunfo, sobre los modestos hechos, de un oscuro, tremendo, terrífico sentido; y ese Sentido —cenital y vengador— no perdona nada: ni argucias, ni alegatos, ni lágrimas, ni pretextos. Ese Sentido es el que gana al fin la batalla contra las astucias. Y él es el que devuelve la verdadera justicia, escamoteada sólo por un momento. Frente a ese Sentido, perderá siempre César su postrera batalla.

Por el autor de TODO ESTÁ PERMITIDO

E. M.

22 de noviembre de 1958.

SE TERMINÓ DE IMPRIMIR EL DÍA
TREINTA DE NOVIEMBRE DEL AÑO MIL
NOVECIENTOS SESENTA Y DOS EN LOS
TALLERES GRÁFICOS DE LA COMPA-
ÑÍA IMPRESORA ARGENTINA, S. A.,
CALLE ALSINA 2049 - BUENOS AIRES.